1 Huis Leon & Juliette
2 Work House
3 City Jail
4 Citadel
5 St. Mary's Church
6 Chisolm's Lower Wharf
7 Craft's South Wharf

Leon & Juliette

Dit Boekenweekgeschenk wordt u aangeboden door
uw boekverkoper.

Leon & Juliette is een uitgave van de Stichting Collectieve
Propaganda van het Nederlandse Boek ter gelegenheid van
de Boekenweek 2020 en werd geproduceerd door
Uitgeverij Querido.

Annejet van der Zijl

Leon & Juliette

Een liefdesgeschiedenis

Stichting Collectieve
Propaganda van het
Nederlandse Boek

Voor Eline Hopperus Buma
en
voor Lia Heller,

omdat het leven écht beter is met vrienden.

Copyright © 2020 Annejet van der Zijl
Uitgave Stichting CPNB
Productie Uitgeverij Querido
Omslagontwerp Brigitte Slangen
Beeldbewerking Maurice Rijnen/Plusworks
Omslagbeeld Jean-Étienne Liotard, *Portrait of a Young Woman*/
Saint Louis Art Museum, Missouri, VS/Bridgeman Images
Foto auteur Anja van Wijgerden
Plattegronden Yde Bouma
Vertaling Engelse citaten Jan Willem Reitsma
Zetwerk Perfect Service, Schoonhoven
Druk- en bindwerk GGP Media GmbH, Pößneck

ISBN 978 90 5965 513 3
NUR 300/321

boekenweek.nl
annejetvanderzijl.com
querido.nl

Inhoud

Het duel

Wat gaat er door het hoofd van een man die weet dat hij binnen enkele tellen van dichtbij doodgeschoten kan worden?

Misschien is het vooral de aanleiding waar hij aan denkt – de schimpende woorden, die hem geen andere keuze lieten dan vanuit zijn huis aan Magazine Street naar dit stukje niemandsland bij de Citadel te komen om zijn eer met zijn leven te verdedigen. In het diepste geheim en in de vroege ochtend, want duels zijn strafbaar, en het laatste wat je wilt is dat de *Charleston Mercury* of *The Charleston Courier* er lucht van krijgt.

Boven de Cooperrivier kleurt de dageraad de hemel roze, de eerste vogels kwetteren en de koelte van de nacht heeft nog niet plaatsgemaakt voor de zware, vochtige hitte van de dag. De stad om hem heen is in diepe rust. Zijn vrienden en collega's slapen de slaap der rechtvaardigen in hun zachte donzen bedden en hun weelderige huizen. De slaven slapen de slaap der vermoeiden op hun matjes voor de slaapkamerdeur van hun eigenaar of op strozakken in de bijgebouwen op de achtererven. Alleen in het Work House, schuin tegenover zijn huis aan Magazine Street, slaapt niemand. Daar kreunen de gestrafte slaven, opeengepropt in gemeenschappelijke cellen, hun ruggen rauw en bloederig van de zweepslagen.

Niet dat je daar iets van hoort als je erlangs loopt, zoals hij net deed. Het gebouw heeft dubbele, met zand gevulde stenen muren, zodat de verschrikkingen in zijn binnenste de beschaafde burgers van deze stad vooral niet zullen storen. Bovendien had hij andere dingen aan zijn hoofd, zoals de afspraken die de afgelopen weken zijn gemaakt door de secondanten van hem en zijn tegenstander.

Alle details zijn met de grootst mogelijke zorgvuldigheid vastgelegd. De tijd, de plaats (Lowndes Street), de kleding ('*the usual costume of a gentleman*'), de te gebruiken duelleerpistolen, het aantal passen, de woorden die gebruikt zullen worden om het vuurgevecht te laten beginnen ('*Gentlemen, prepare to receive the word!*') en het te laten eindigen ('*Halt!*'). Het aantal wonden dat toegebracht mag worden. De naam van de arts die op de achtergrond aanwezig zal zijn om assistentie te verlenen.

Was de mogelijke afloop niet zo fataal, dan had het bijna iets van een elegante dans, een heilig ritueel. Een geheime rite, waarmee hij zich kan en moet waarmaken in de ogen van de mannen bij wie hij wil horen. Een affaire d'honneur noemen zijn vrienden het, omdat de eer van een man in hun wereld nu eenmaal zwaarder weegt dan het leven zelf.

Maar misschien denkt hij wel helemaal niet aan dat alles en is het waar wat mensen zeggen, dat je met de dood voor ogen de belangrijkste gebeurtenissen uit je leven voorbij ziet komen. In zijn geval: beelden van zijn moeder en zijn broers en zussen, het gelukkige huis in het armzalige land aan de andere kant van de oceaan waar hij is opgegroeid – ver, ver weg van hier. De zee, die zijn verschillende levens aan elkaar verbindt: koud en wild waar hij vandaan kwam, turquoise en lui aan deze kant, met speels opspringende dolfijnen en altijd het geklapper van witte zeilen boven hem.

En natuurlijk het beeld van het verlegen, koffiekleurige meisje met haar zachte handen dat hem jaren geleden redde van een veel te vroege dood. En dat sindsdien onder zijn ogen opbloeide tot een jonge vrouw, die met de dag mooier en daarmee kwetsbaarder werd voor alle vreselijke dingen die haar in deze even prachtige als wrede stad kunnen worden aangedaan.

Juliette.

Alles, echt álles voor Juliette.

Wat zouden zij en de kinderen in godsnaam moeten als hij deze ochtend niet zou overleven?

'Gentlemen, prepare to receive the word!'

De gelijktijdige roep van de secondanten doet de vogels in de omringende bomen verschrikt opvliegen.

'Fire!'

1 De gelukszoeker

Elf jaar eerder was Leon Herckenrath vertrokken uit dat armzalige land, nog maar achttien jaar oud en voorbereid, aangemoedigd en gefinancierd door zijn familie, die in hem, hun geliefde jongste zoon, de hoop op een betere toekomst zag. In het najaar van 1818 scheepte hij zich in de Rotterdamse haven in op een schoener die de Washington heette. Het zeilschip was vernoemd naar de Amerikaanse president die tijdens de Onafhankelijkheidsoorlog als opperbevelhebber tegen het Britse moederland had gevochten. Daarmee legde George Washington de basis voor een economische wereldmacht met een onweerstaanbare aantrekkingskracht op fortuinzoekers en avonturiers uit heel Europa.

Afgaande op de schaarse portretten die van hem bewaard gebleven zijn, was Leon een knappe, goedgebouwde jongen met rossig haar en ogen waar de energie van afspatte. 'Een levendig, spraakzaam kind vol ideeën en dromen', volgens de familieoverlevering. Daarnaast had hij een vriendelijk karakter en een groot hart: 'Hij had medelijden met degenen die in lijden waren en deze deugd was met hem opgegroeid van zijn kindsheid af.'

Leon was geboren op 6 juni 1800 als derde zoon van een arts van oorspronkelijk Duitse komaf. Deze Gerardus Herckenrath had zich na zijn huwelijk met de Amsterdamse burgerdochter Alida Milius gevestigd in het Westland, een idyllisch, met vaarten en duinrellen doorsneden gebied vlak onder de hofstad Den Haag. Dankzij de directe ligging aan de Noordzee was het klimaat hier zo mild dat de Haagse adel er van oudsher zijn weelderige zomerverblijven bouwde op de vruchtbare geestgronden. Aan het eind van de achttiende eeuw was de economische situatie in Nederland echter zo slecht geworden dat deze buitenhuizen voor een appel en een ei verkocht werden aan burgers, zoals Leons vader.

In 1798 werd Gerardus Herckenrath benoemd tot baljuw oftewel burgemeester van Monsterambacht. Drie jaar later kocht hij het landgoed Geerbron in het dorp Monster, dat aan het eind van de zeventiende eeuw was gebouwd door de zeeheld Anthony Pieterson, als 'hoffstede van plaisantie', zoals in een akte uit die tijd te lezen valt.

Volgens de beschrijving in de koopovereenkomst was Geerbron inderdaad een echte lusthof. Het hoofdhuis aan de Heerenstraat telde tien rijkelijk met goudleerbehang en spiegels gedecoreerde kamers. Erachter lagen schitterende sier- en moestuinen, met druivenmuren en van glas voorziene broeibakken die destijds als het summum van moderniteit golden. Het grotendeels door een muur omringde complex kon zich daarnaast beroemen op een grote vijver, duiventillen, een tuinmanswoning en een koetsierswoning met belendende paardenstallen.

In 1809 overleed Leons vader, eenenveertig jaar oud. Hij liet zijn weduwe achter met zeven nog minderjarige kinderen. Oudste zoon Louis ontpopte zich in veel opzichten al snel als plaatsvervanger van hun vader. Ook nadat hij naar Amsterdam verhuisde om bij een bank te gaan werken, bleef hij zijn moeder met raad en daad bijstaan en waakte hij over zijn vier zussen. De tweede zoon, de rustige August, zette de medische traditie van de Herckenraths voort. Hij ging in de voetsporen van zijn vader en grootvader geneeskunde studeren en vestigde zich als arts in de hoofdstad.

En zo kreeg Leon, derde en jongste zoon van het gezin, de ruimte om op avontuur te gaan en nieuwe horizonten te verkennen. Hij was het beste wat ze hadden – de snelste, de vrolijkste en de charmantste. Hij bezat alle eigenschappen om fortuin te kunnen maken in de Verenigde Staten, dat mythische land aan de andere kant van de oceaan, en de kansen te grijpen waar het, ondanks zijn relatief bevoorrechte jeugd, in zijn eigen land zo erbarmelijk aan ontbrak.

*

Aan het begin van de negentiende eeuw was Nederland geen schim meer van de glorierijke Republiek der Zeven Verenigde Nederlanden die in de Gouden Eeuw zoveel furore had gemaakt. Eindeloze, uitputtende oorlogen met aartsvijand Groot-Brittannië hadden Amsterdam haar positie als wereldhaven gekost en de handel zo goed als stilgelegd. De industriële revolutie, die de welvaart in landen als Engeland en Amerika in deze jaren opstuwde, ging bij gebrek aan technische ontwikkeling en natuurlijke hulpbronnen haast helemaal aan het Hollandse laagland voorbij. Het voormalige wereldrijk was nu verworden tot een van de armste en meest achtergebleven landen van Europa.

In 1810, na een korte periode als Bataafse Republiek, hield Nederland als zelfstandige natie zelfs helemaal op te bestaan. Het werd ingelijfd door het Franse Keizerrijk van Napoleon Bonaparte, de enige Europese natie die zich qua macht en invloed kon meten met het almachtige Groot-Brittannië.

Zoals veel progressieve Nederlandse burgers juichten de Herckenraths de komst van de Fransen toe. Het portret van Napoleon kreeg een ereplaats in Leons ouderlijk huis en zijn broers Louis en August sloten zich in 1813 aan bij de Jeunesse Dorée. Twee ooms van vaderskant vochten op dat moment al mee in het leger van Napoleon. Een van hen, Leons favoriete oom Frans, sleepte tijdens de Spaanse Veldtocht zelfs de hoogste Franse nationale onderscheiding, de Légion d'honneur, in de wacht.

Maar nog voor Leon oud genoeg was om het voorbeeld van zijn broers en ooms te volgen, kantelde de politieke situatie alweer drastisch. Na Napoleons mislukte veldtocht naar Rusland in de herfst van 1812 volgden de verloren Slag bij Leipzig en in 1815 zijn beslissende nederlaag bij Waterloo. De overwinnaars gaven Nederland zijn autonomie weer terug – nu als koninkrijk, bestaande uit de Zuidelijke en de Noordelijke Nederlanden, onder leiding van de oudste zoon van de twintig jaar eerder weggejaagde erfstadhouder uit de Oranjedynastie.

Daarmee was Leons vaderland terug bij af, hoezeer de kersverse koning Willem I zich ook uitsloofde om zijn jonge koninkrijk aan de Noordzee uit het slop te halen. Iedere dag weer zag Leons broer Louis als bankier in Amsterdam hoe de hoofdstedelijke elite weigerde haar geld te stoppen in het eigen lamgeslagen vaderland, en liever investeerde in meer profijtelijke ondernemingen in Duitsland en, vooral, Amerika.

Met zijn vlugge geest, innemende persoonlijkheid en talent voor talen was Leon duidelijk geknipt voor de internationale handel. Maar het was even duidelijk dat hij daar in eigen land nooit meer dan een schamele boterham mee zou kunnen verdienen. Het was dus niet zozeer de vraag óf hij naar Amerika zou gaan, het was vooral de vraag wáár hij dan naartoe zou gaan.

*

Leon Herckenrath behoorde niet tot de doodarme, desperate paupers die in deze jaren met duizenden tegelijk naar de Nieuwe Wereld trokken en bijna allemaal als fabrieksarbeiders door de Noord-Amerikaanse industriesteden werden opgeslokt. Maar hij maakte evenmin deel uit van de oude Europese aristocratie, die hem met haar internationale netwerk van diplomatieke en handelscontacten een veilig onthaal en een goede positie aan de overkant had kunnen bezorgen. In feite hadden de Herckenraths geen enkele connectie in de Verenigde Staten – geen oom, geen verre neef of zelfs maar een vroegere dorpsgenoot die Leon in dat verre, onbekende land op weg zou kunnen helpen.

Want ver wás het. Telefoon of zelfs telegraafverbindingen bestonden nog niet, en terwijl stoommachines en stoomschepen in Engeland en Amerika al alledaagse fenomenen waren, was er in Nederland tot dusverre slechts eenmaal – om precies te zijn in 1816 in de Rotterdamse haven – een stoomboot gesignaleerd. De enige vorm van trans-Atlantisch contact bestond uit brieven, die er al snel een maand over deden om per zeilschip van de ene naar de andere kant van de aardbol vervoerd te worden.

Dat Leon in 1818 de boot nam naar Charleston, in de staat South Carolina, was waarschijnlijk het resultaat van een aantal zakelijke en praktische overwegingen. Charleston was de belangrijkste havenstad van Amerika, iets wat ze dankte aan haar strategische ligging in het zuidoostelijke deel van het continent, daar waar de grote zeilschepen uit West-Europa en Afrika bijna als vanzelf vanaf de Azoren naartoe werden geblazen.

Daarbij stond de stad bekend als mooi en gastvrij en was ze het onbetwiste culturele middelpunt van de Verenigde Staten. In de woorden van een reisschrijver: 'de vrolijkste stad van Amerika – het wordt *the centre of the beau monde* genoemd'. Dat leek perfect te passen bij de opgewekte persoonlijkheid van de jonge Leon en bovendien sprak bijna iedereen er de taal waarin hij was opgevoed en onderwezen, namelijk Frans – dit dankzij de grote aantallen Franse hugenoten die zich er in de loop der tijd hadden gevestigd.

Ten slotte was er nog een argument dat eigenlijk alleen van broer Louis afkomstig kon zijn, namelijk dat noch South Carolina noch de belendende staat North Carolina tot op dat moment beschikte over een consul die als officiële handelsagent de Nederlandse belangen vertegenwoordigde. Zelf had Louis zich ooit laten benoemen tot consul voor het destijds nog niet bij de Verenigde Staten behorende Texas, maar zolang hij in Amsterdam bleef leverde deze positie hem – behalve een indrukwekkend uniform en in familiekring de plagerige bijnaam 'de Consul van Texel' – weinig op. Voor Leon echter zou een soortgelijk ambt in Charleston een ideale zakelijke uitgangspositie zijn en het kostte Louis kennelijk weinig moeite om ervoor te zorgen dat zijn broertje in deze officiële hoedanigheid aan zijn wereldreis kon beginnen.

Het enige wat vervolgens nog moest worden bedacht was hoe de immigrant in spe aan de andere kant van de oceaan een dak boven zijn hoofd zou vinden. Hier kon de godsdienst uitkomst bieden. De Herckenraths waren katholiek, en een oom van Leons moeder was pastoor in het nabijgelegen Poeldijk. Via het internationale netwerk van de kerk kon de laatste contact leggen met zijn collega van St. Mary's Church in Charleston, een kerk die volgens haar beginselverklaring nadrukkelijk ook bedoeld was voor Hollandse geloofsgenoten. Zo werd er een gastadres gevonden bij een zekere James Magnan, een van origine Franse koopman annex plantagebezitter.

Aldus voorzien van zowel een zakelijke uitgangspositie als een opvangadres, hoefde de jonge landverhuizer alleen nog te wachten tot zich een geschikte passage zou voordoen op een zeilschip dat rechtstreeks van Rotterdam naar Charleston zou varen.

*

Op 6 juni 1818 vierde Leon zijn achttiende verjaardag op Geerbron. Op 7 oktober trouwde zijn favoriete zuster, de twee jaar oudere Constantia, in Monster met de weduwnaar René van der Meer van Kuffeler, die kort daarop tot burgemeester van de gemeente benoemd zou worden. En op 22 oktober manoeuvreerde kapitein James Stinson de schoener Washington door de Rijndelta naar de Noordzee en zag Leon de lage Zuid-Hollandse duinen waarachter hij zijn jeugd had doorgebracht aan de einder verdwijnen.

Aangenomen dat de zeiltijd bij gunstige wind ongeveer twee tot drie weken bedroeg, zal Leon de stad die zijn liefde en noodlot zou worden dus ergens aan het begin van november 1818 voor het eerst aan de horizon hebben zien opdoemen.

2 De stad...

Het is nauwelijks voorstelbaar wat een overweldigende eerste indruk 'Little London', zoals Charlestons bijnaam luidde, gemaakt moet hebben op een jongen uit een slaperig Zuid-Hollands dorpje – zeker nadat die, zoals Leon, wekenlang niets anders had gezien dan zee en nog eens zee. In de bewonderende woorden van reisschrijver Josiah Quincy:

> Deze stad biedt een buitengewoon fraaie aanblik als je er aankomt, in veel opzichten een schitterende. In algemene zin kan ik slechts zeggen dat zij alles wat ik ooit in Amerika heb gezien of daar ooit verwachtte te zien op het gebied van grandeur, imposante gebouwen, ornamenten, rijtuigen, inwonertal en scheepsverkeer in vrijwel alle opzichten ruimschoots overtreft.

Wat de ligging betreft had Charleston wel iets weg van New York. De stad lag op de kop van een schiereiland tussen de rivieren de Ashley en de Cooper, in een baai die door de omringende delta en een aantal eilanden werd afgeschermd van het geweld van de oceaan. Aan de oostkant staken tientallen korte en langere kaden als ongelijke franje de Cooper in. Deze steigers, waarvan de grootste aan wel twaalf zeilschepen tegelijkertijd accommodatie konden bieden, waren bebouwd met kantoren, pakhuizen en winkels. Eromheen krioelde het van kleinere vaartuigen, die heen en weer voeren naar de majestueuze, op de lome golfslag van de baai deinende drie- en viermasters. Op de modderige walkanten tussen de steigers scharrelden pelikanen op zoek naar eten, en overal dartelden dolfijnen, glanzend en sierlijk opduikend uit het water, jagend op prooi.

De stad zelf was bijna nog indrukwekkender. Overal

wiegden palmen in de zoele wind en het rook er naar de sinaasappelbomen die langs de met keien of vergruizelde schelpen bedekte straten waren aangeplant. De huizen waren gebouwd in de kleurige koloniale stijl van Caraïbische eilanden als Barbados en Tobago. Ze hadden ruime, op het zuiden gerichte veranda's, hier piazza's genoemd, zodat ze ieder briesje uit de overheersende windrichting konden opvangen. In de fraaie tuinen bloeiden magnolia's, azalea's, oleanders en andere tropische planten, die zo welig tierden in dit warme en vochtige klimaat. Aan de twee grote avenues die het schiereiland van noord naar zuid doorkruisten, King Street en Meeting Street, getuigden talloze zilver- en goudsmeden, meubelmakers, kappers en andere ambachtslieden van de weelderige interieurs en het rijke leven van de Charlestonianen.

Maar behalve de schoonheid en de welvaart van de stad was er nog iets waarover nieuwe bezoekers zich steevast hogelijk verbaasden – zeker als ze, zoals Leon, ergens vandaan kwamen waar men donkere mensen bijna uitsluitend kende van plaatjes in aardrijkskundeboeken. 'Het wemelt hier van de negers. Twee derde van de mensen die je in de stad ziet zijn negers of mulatten!' schreef een Zweedse reizigster verbaasd in een brief naar huis. Een Zwitserse kolonist die ook het achterland verkende concludeerde: 'Carolina lijkt eerder een negerland dan een land dat door blanke mensen is gekoloniseerd.'

Op het moment dat Leon voor het eerst door de straten van Charleston liep, was inderdaad meer dan de helft van de inwoners van de stad van Afrikaanse afkomst. In de *lowlands*, het weidse, door kanaaltjes en kreekjes doorsneden en met plantages bedekte moerasgebied eromheen, liep de verhouding op tot negen zwarten op één blanke. En hoe beschaafd Charleston op het eerste gezicht ook oogde, deze zwarte mensen waren bijna allemaal het slachtoffer van wat de Amerikaanse president Thomas Jefferson ooit omschreef als 'de meest onbeschofte hartstochten, een voortdurend despotisme enerzijds, een vernederende onderwerping anderzijds'.

Oftewel: de slavernij.

Anno 1818 was South Carolina de grootste slavenhoudende staat ter wereld, en Charleston de enige stad in Noord-Amerika waar de economie zo goed als helemaal dreef op slavenarbeid.

Was Charleston een vrouw geweest, dan zouden adjectieven om haar te beschrijven tekortgeschoten zijn. Mooi was ze ongetwijfeld, en daardoor trots en ijdel. Ze was fabelachtig rijk, gewend aan het beste van het beste en verzot op plezier en luxe. In veel opzichten was ze fantastisch gezelschap: gul, gastvrij en vrolijk; cultureel onderlegd en kosmopolitisch, dol op muziek, theater en dansen. Maar achter al die schoonheid en dat savoir-vivre was ze wreed, en als het erop aankwam hypocriet en volstrekt gewetenloos.

*

Opgegroeid in een ontwikkeld gezin, met het *'liberté, égalité, fraternité'* van de Franse Revolutie als ideaal, kende Leon het fenomeen slavernij eigenlijk alleen maar uit kranten en boeken over de vaderlandse geschiedenis. Weliswaar was ook Nederland formeel een slavenhoudende natie, maar die slaven leefden in de Zuid-Amerikaanse kolonie Suriname en in Nederlands-Oost-Indië, en zeker niet in Monster of omstreken. Van de alledaagse realiteit van een slavensamenleving had hij zich geen voorstelling kunnen maken.

Wat hij wellicht wel wist was dat de vroegere welvaart van Nederland voor een groot deel gebaseerd was op de handel in West-Afrikaanse slaven. Die waren eind zestiende eeuw 'ontdekt' als oplossing voor het gebrek aan werkkrachten in de nieuwe Europese kolonies in Zuid- en later ook Noord-Amerika. Als gevolg hiervan waren gedurende de zeventiende en achttiende eeuw naar schatting 12 miljoen Afrikanen tegen hun wil naar de andere kant van de wereld overgebracht.

De handel was zeer profijtelijk, maar ook gevaarlijk en volstrekt barbaars. In de woorden van een Britse zeeman die op een slavenschip werkte:

> Ik walg elke dag meer van deze koop en verkoop van mensen alsof ze lastdieren zijn... Op de achtste dag (op zee) liep ik mijn ronde op het halfdek, met een kamferzak tussen mijn tanden geklemd, want het stonk er afgrijselijk. Zieken en stervenden zaten met kettingen aan elkaar vast. Ik zag vrouwen kinderen baren, vastgeketend aan lijken die onze dronken opzichters niet hadden weggehaald. De zwarten waren letterlijk tussen de dekken gepropt, als in een doodskist, en voor bijna de helft van onze lading wérd dat afschuwelijke ruim ook hun doodskist voordat we Bahia hadden bereikt.

Aan het eind van de achttiende eeuw begon het tot de westerse wereld door te dringen dat deze mensenhandel indruiste tegen iedere vorm van beschaving. In 1808 werd de trans-Atlantische slavenhandel verboden. Denemarken had vijf jaar eerder als eerste land ter wereld de slavernij al helemaal afgeschaft; Engeland en Barbados hadden toegezegd dat voorbeeld na een overbruggingsperiode te volgen.

Ook Nederland had met het Verdrag van Londen in 1814 zijn koloniën in Zuid-Amerika en de Indonesische archipel alleen maar teruggekregen op voorwaarde dat het op termijn voorgoed een einde zou maken aan de slavernij op zijn grondgebied.

In het noordelijke deel van de Verenigde Staten was het houden van slaven al vanaf 1804 niet meer toegestaan. Maar in het zuidelijke deel werd slavenhouderij nog altijd als een grondrecht van de blanke inwoners beschouwd. De reden daarvoor was simpel: de blanke elite kon niet zonder. Ze was er groot mee geworden, ze was er rijk mee geworden en ze was nu volstrekt afhankelijk van haar zwarte lijfeigenen, die niet alleen de ruggengraat van de samenleving vormden maar ook de handen en de voeten. En, niet zelden, ook nog de hersens en het hart.

De stad Charleston had nog nooit een dag zonder slaven gefunctioneerd, zelfs niet in het begin, in 1670, toen ze alleen nog maar bestond uit een verzameling blokhutten. De eerste kolonisten hadden al slaven meegenomen uit Barbados en andere Caraïbische eilanden. Toen bleek dat de moerasdelta rond de nederzetting uitermate geschikt was voor het verbouwen van rijst en indigo, was het niet meer dan vanzelfsprekend om nieuwe werkkrachten in te kopen op de slavenmarkt. De Afrikanen hadden van huis uit ervaring met de teelt van deze producten, en waren daarnaast fysiek beter opgewassen tegen het subtropische klimaat en de vele dodelijke infectieziekten, zoals gele koorts, kinkhoest en pokken. Ook de productie van katoen, die vooral na de uitvinding van de ontkorrelmachine in het zuiden van Amerika een hoge vlucht nam, was ondenkbaar zonder zwarte handen om de pluimen te plukken.

In de loop van de eeuwen was de haven van Charleston uitgegroeid tot een knooppunt van internationale slavenhandel en, naast de plantages, tot de tweede kurk onder haar welvaart. De Charlestonianen bouwden werven speciaal voor de grote slavenschepen en richtten het aan de kust gelegen Sullivan's Island in als quarantainegevangenis voor dat deel van de 'koopwaar' dat de helletocht over de oceaan had overleefd. Later zou geschat worden dat meer dan de helft van Amerika's zwarte bevolking afstamt van mensen die ooit via Charleston het continent waren binnengekomen.

Anno 1818 was het dagelijks leven in Charleston nog altijd ondenkbaar zonder wat besmuikt werd aangeduid als '*the peculiar institution*' – dit omdat het woord slavernij onder beschaafde burgers gold als ongepast. Er bestonden geen blanke bedienden, net zomin als er blanke vrouwen waren die ook maar iets eigenhandig in hun huishouden deden. Kinderen kregen die 'bijzondere instelling' letterlijk met de moedermelk naar binnen, want zelfs het zogen van blanke baby's werd overgelaten aan zwarte 'Mama's'. Waren ze eenmaal een jaar of tien, dan kregen ze van hun ouders hun eerste eigen slaafje cadeau, meestal eentje van hun eigen leeftijd.

*

De generatieslange uitbuiting van zwarte lijfeigenen had onmiskenbaar haar sporen achtergelaten op de persoonlijkheid van de Charlestonianen. Hun fameuze gastvrijheid, zelfgenoegzaamheid en hedonisme waren er de directe gevolgen van, net als hun dictatoriale inslag en hun al bijna even beruchte luiheid. Een bezoeker noteerde:

> De heren planters ... doen totaal niets afgezien van eten, drinken, plezier maken, roken en slapen, en die vijf activiteiten maken de essentie uit van hun bestaan.

De plantersaristocratie van Charleston had inderdaad weinig meer omhanden dan zich te wentelen in luxe en zich te spiegelen aan het achttiende-eeuwse ideaal van de Engelse gentleman, met een weelderig landgoed buiten en een huis in de stad. Op de plantages deden de opzichters het vuile werk en in hun stadspaleizen zorgden hun huisslaven, hun '*darkies*' zoals ze hen noemden, letterlijk de hele dag voor hen. Afgaande op dagboeken en brieven uit die tijd, beschouwden eigenaren hun slaven in het beste geval als een soort veredelde, goed afgerichte huisdieren, die gewaardeerd werden om wat een eigenaar omschreef als '*their auto-matic noiseless perfection of training*':

> Je eigen bedienden denken voor je, ze kennen je gewoonten en behoeften, nemen je alle verantwoordelijkheid uit handen, zelfs op het vlak van je persoonlijke verzorging en welbevinden.

Het was deze, in hun ogen door God gegeven manier van leven die de slavenhoudende staten met hand en tand verdedigden. Tegenover de centrale regering in Washington stelden de zuidelijke planters zich op het standpunt dat ze vrij waren hun eigen staat in te richten zoals ze dat zelf wilden en dat ze niets vanuit het Noorden gedicteerd wilden zien – vooral niet waar het hun kostbare peculiar institution betrof. Ondertussen bleven handelaren uit Charleston illegaal slaven uit Afrika importeren en scherpte vooral de staat South Carolina zijn '*Negro Laws*' voortdurend aan om de zwarte bevolking te houden zoals die daar het liefst werd gezien: onwetend, bang en dienstbaar.

Juridisch gezien gold een slaaf in Leons nieuwe woonplaats als twee derde van een blanke mens. Slaven waren even rechteloos als vee. Ze mochten geen contracten sluiten, ze mochten niet getuigen en ze konden op geen enkele manier over hun eigen lot beschikken. Hun eigenaar kon hen op elk gewenst moment apart van hun familie verkopen aan de hoogstbiedende op een van de openbare slavenveilingen die dagelijks bij de haven aan East Bay werden gehouden.

En hoe meer de slavernij aan het begin van de negentiende eeuw in de buitenwereld onder vuur kwam te liggen, hoe meer beperkende wetten South Carolina uitvaardigde. Zo was het slaven vanaf 1800 verboden om te leren lezen of schrijven. Ze mochten ook niet meer bij elkaar komen zonder dat er een blanke bij aanwezig was. Vanaf 1803 dienden ze zich te houden aan een avondklok die iedere avond met tromgeroffel werd aangekondigd, en in 1818, het jaar dat Leon in Charleston arriveerde, werd verordonneerd dat slaven alleen nog op straat mochten zijn met een bewijs van toestemming van hun eigenaar.

Overtredingen werden bestraft met '20 *stripes on the bare back*', oftewel twintig zweepslagen op de blote rug. Dit werd algemeen als een passende straf gezien, omdat de meeste slaven dat wel overleefden en hun leven dus konden beteren. Als een eigenaar geen zin, geen kracht of geen opzichter had om dit vervelende karweitje uit te voeren, kon hij overal in Charleston voor een halve dollar mensen inhuren die het overnamen. Ook kon hij de *slave patrols* – een soort militaire eenheden die in de straten patrouilleerden – vragen de overtreder naar het speciaal hiervoor ingerichte Work House aan Magazine Street te brengen om daar zijn of haar straf te ondergaan.

Misschien was de westerse wereld in zijn geheel in 1818 aan het afkicken van de slavernij. Maar het zuiden van Amerika was er nog steeds zwaar aan verslaafd en het zo mooie Charleston bleek de hardnekkigste junk van allemaal.

3 ...en het meisje

Juliette was het eigendom van James Magnan. De blanke man die ze van jongs af aan haar meester had leren noemen, bezat een plantage bij de stad Augusta, vlak bij de grens tussen South Carolina en de westelijke buurstaat Georgia. Daarnaast had hij een huis aan King Street in Charleston. Daar was Juliette op 20 juni 1809 geboren en daar woonde ze nu met haar moeder Josephine in de ommuurde slaven-verblijven op het achtererf.

Net als haar dochter wist Josephine niet beter of ze was vanaf haar geboorte het bezit geweest van 'Massa Magnan', zoals de slaven hem noemden in het Gullah, de Engels-creoolse slaventaal. DNA-onderzoek onder haar nazaten zou later uitwijzen dat ze 100 procent Afrikaans bloed had – haar voorouders waren afkomstig uit Kameroen en Ghana. Zelf was ze in 1793 ter wereld gekomen in het plaatsje Petite-Rivière-de-l'Artibonite op Saint-Domingue, het westelijke deel van het Caraïbische eiland Hispaniola.

De Franse kolonie Saint-Domingue was lange tijd niet alleen de rijkste en profijtelijkste van alle Europese winge-westen, maar ook de wreedste. Omdat het goedkoper was om nieuwe zwarte werkkrachten te kopen dan goed voor ze te zorgen, lieten de Franse planters hen zich letterlijk doodwerken op de suikerrietplantages waarmee het eiland bedekt was. Meer dan de helft van de aangevoerde Afrikanen overleefde hun eerste jaar in de hel die Saint-Domingue heette niet. Weglopers werden bij wijze van afschrikwek-kend voorbeeld gecastreerd en vervolgens doodgemarteld of levend verbrand.

In 1791 explodeerde deze van haat doordesemde samenleving. Gewapend met zelfgemaakte speren en brandende toortsen trok een zwart rebellenleger door het noorden van Saint-Domingue. In een orgie van geweld werden honderden plantages platgebrand, de slaven bevrijd en meer dan vierduizend blanken afgeslacht – de vrouwen verkracht, de hoofden van de kinderen als trofeeën op staken meegevoerd. In 1793 was de situatie zo gevaarlijk geworden dat ook de plantersfamilie Magnan zich gedwongen zag te vluchten. Het enige wat ze mee konden nemen waren wat schaarse bezittingen en enkele huisslaven, onder wie baby Josephine.

Een van de zonen van de familie, de vijfentwintigjarige Jacques Nicolas Magnan, vestigde zich samen met een zus en een zwager in het zuidelijke deel van de Verenigde Staten, waar de Franse refugiés als zielsverwanten en bondgenoten in de strijd om de slavernij werden onthaald. De plantagehouders stelden hun huizen open en hielden inzamelingen om de financiële nood onder de vluchtelingen te lenigen. In Charleston kregen de Franse nieuwkomers zelfs hun eigen katholieke kerkgebouw: St. Mary's, aan Hasell Street.

Met nauwverholen onrust luisterden de Amerikanen naar de horrorverhalen van hen die aan het bloedbad op Saint-Domingue waren ontsnapt. Stel dat zoiets verschrikkelijks ook in hun eigen land zou gebeuren! Zoals een krant schreef:

Ze schrijven vanuit Charleston (South Carolina) dat de NEGERS zeer onbeschaamd zijn geworden, zozeer zelfs dat het de burgers verontrust en de militie voortdurend de wacht houdt.

*

Op 5 november 1793 kocht Juliettes eigenaar, die zich in zijn nieuwe land de naam 'James' had aangemeten, samen met zijn zwager Claudius vijfhonderd acres land onder Augusta in Richmond County, zo'n honderddertig mijl ten westen van Charleston. Getuige advertenties die de jaren daarop in plaatselijke kranten verschenen, verschilde de manier waarop de twee mannen hier een nieuw bestaan opbouwden niet veel van de wijze waarop ze dat op Saint-Domingue gewend waren geweest, inclusief de harde behandeling van slaven.

Zo loofde Magnan in *The Augusta Chronicle* van 26 november 1796 een beloning uit voor het terugvinden van twee zeventienjarige, duidelijk net uit Afrika aangevoerde 'zoutwaterslaven':

Vier gienjes beloning – weggelopen bij James Magnan, op de avond van de 17de, twee negerjongens. De eerste, 'St. John', ongeveer 17 jr. oud, 1,70 meter lang, zeer sterk, afkomstig uit de Congo en zeer knap om te zien, spreekt Frans maar heel weinig Engels. De tweede, 'Julien', uit hetzelfde land, ongeveer dezelfde leeftijd en lengte, slanke lichaamsbouw, spreekt ook alleen Frans, heel weinig Engels.

Wat de weglopers te wachten stond als ze weer in de handen van hun eigenaars zouden vallen, werd niet vermeld. Zowel in Georgia als in South Carolina stond op het doodslaan of mishandelen van een slaaf slechts een lage boete. Aangezien slaven volgens de wet niet mochten getuigen, was de kans ervoor vervolgd te worden miniem. De gebruikelijke straf bestond uit zweepslagen en zware ketenen aan de voeten, maar er waren ook eigenaren die het voorhoofd van de vluchteling met de letters 's t r' lieten brandmerken: 'Stop The Rascal'. Niet zelden liet men weglopers door bloedhonden verscheuren of schoot men ze af als een prooidier.

De kans dat James Magnan zijn slaven zachtzinniger bejegende dan gebruikelijk zal niet heel groot geweest zijn; tenslotte had hij aan den lijve meegemaakt hoe verschrikkelijk hun wraak kon zijn. De rebellen op Saint-Domingue hadden zijn familieleden en vrienden vermoord en hem zijn welvaart, zijn toekomst en zijn geboorteland ontnomen. De slavenopstand van 1791 was het begin gebleken van een jarenlange guerrillaoorlog, waarin het de rebellen langzaam maar zeker lukte hun blanke beulen van het eiland te verdrijven. In 1804 hadden ze het onafhankelijke Haïti uitgeroepen, de allereerste vrije zwarte republiek ter wereld.

Tegen deze tijd was James Magnan alweer een gegoed man. Hij bezat een huis aan Ellis Street, een van de prominentste straten van Augusta, en had met zijn ook uit Saint-Domingue afkomstige echtgenote drie dochters en een zoon gekregen. Ook bezat hij een tweede plantage, bij het plaatsje Plaquemine in Louisiana. Naar verluidt was hij actief in de slavenhandel. Vast staat dat zijn zwager in 1803 een handelskantoor in Charleston opzette: '*Claudius Magnan & Co. Negociants in Augusta, Georgia, verantwoordelijk voor commissies, aankopen en verkopen.*'

Nadat in 1808 de internationale slavenhandel werd verboden, was de enige manier om nog aan nieuwe slaven te komen, ze zelf te produceren. De koopprijs van jonge meisjes in de vruchtbare leeftijd schoot omhoog en hun eigenaren zorgden ervoor dat ze zo snel mogelijk zwanger werden. Ook de toen vijftienjarige Josephine raakte dat jaar in verwachting.

De man die later als vader op de trouwakte van haar dochter Juliette vermeld zou staan, was een tweeënvijftigjarige koopman van Schots-Ierse afkomst, genaamd James 'John' M. McCormick. Hij woonde ook in Augusta en was waarschijnlijk een zakenvriend van Magnan. Dat de laatste een jong slavenmeisje liet bezwangeren door een blanke vijftiger en niet door een zwarte jongen van haar eigen leeftijd, was in deze cynische tijden niet meer dan gezond zakelijk beleid: een lichtgekleurde mulattenbaby werd mooier gevonden en bracht op de slavenmarkt meer op dan een zwart kindje.

*

In het jaar dat Leon in Charleston aankwam, was James Magnan volgens *The Directory and Stranger's Guide for the City of Charleston* de bezitter van een huis en een bijbehorende winkel aan King Street, de belangrijkste uitvalsweg naar de *upcountry* ten noorden van de stad. Hij handelde nu in wijn. *'James Magnan – Cases and boxes Medoc Claret Wine, entitled to drayage'*, aldus een advertentie in de *Charleston Gazette*. Kennelijk kon Magnan nog wel een jonge, energieke, Franssprekende immigrant in zijn zaak gebruiken, want ergens aan het einde van het jaar kwam Leon daar ook wonen.

Het zal wel altijd de vraag blijven of de goedhartige en gezien zijn verdere levensloop idealistisch aangelegde dokterszoon uit Monster in het huishouden van zo'n doorgewinterde slavenhouder als Magnan – of überhaupt in Charleston – gebleven zou zijn als hij de keuze had gehad. Maar die keuze had Leon al heel snel niet meer, want hij werd ernstig ziek.

Het waren niet alleen financiële redenen waarom de Charlestonianen al vanaf het prille begin van hun stad de voorkeur hadden gegeven aan zwarte werkkrachten: blanken waren namelijk veel te bevattelijk voor de door muggen overgebrachte tropische ziektes die hier in het moerassige laagland zoveel voorkwamen. Een van de meest gevreesde ziektes was de gele koorts, ook wel *'strangers' disease'* genoemd, omdat de lokale bevolking er inmiddels zo goed als immuun voor was geworden. Nieuwkomers zoals Leon kwamen er na door de gelekoortsmug gestoken te zijn, soms alleen met wat griepachtige verschijnselen van af, maar ook konden zich een paar dagen later opeens hoge koorts en geelzucht ontwikkelen. Interne bloedingen leidden dan tot een uiterst pijnlijk, ontluisterend en in de meeste gevallen fataal ziekbed.

Waarschijnlijk had de gele koorts ook voor Leon het einde van al zijn dromen betekend, ware het niet dat James Magnan de zorg voor zijn zieke kostganger overliet aan een mulattenmeisje uit zijn huishouden. '*A shy nine year old*', zoals Juliette in de woorden van haar familie werd omschreven. Veel is er twee eeuwen na dato niet terug te vinden over hoe zij in haar jeugd geweest moet zijn – archieven zijn verbrand, kerkgebouwen gebombardeerd, stadhuizen bij aardbevingen vernield –, maar vast staat wel dat zij, jong als ze was, de haar opgedragen taak met grote toewijding vervulde. Ze sponsde haar patiënt af, ze hield zijn temperatuur laag met natte doeken, ze verschoonde hem en voerde hem zodra de koortsen zakten en hij in staat was weer wat te eten. En tegen elke verwachting in overleefde hij.

In 1819, een jaar na zijn aankomst in de Verenigde Staten, duikt Leons naam weer op op een passagierslijst van een schip dat vanaf Charleston naar Philadelphia in het noorden van de Verenigde Staten voer. Het lijkt erop dat hij daar, kennelijk geheel hersteld, nu toch eindelijk zijn geloofsbrieven als consul van Nederland af ging leveren.

4 Het document

Op 20 oktober 1820 verkocht James Magnan het slaven-meisje met de naam Juliette Louisa McCormick aan de jonge Nederlander genaamd Leon Herckenrath. De koopprijs was duizend dollar, een exorbitant bedrag in een tijd waarin een slaaf hooguit vijf- tot zeshonderd dollar kostte. Magnans 'investering' in Josephine was een uitstekende geweest: hij besefte maar al te goed dat de koper het meisje tegen iedere prijs wilde hebben.

De reden dat Leon zoveel geld overhad voor het meisje dat hem had verpleegd stond in het koopdocument omschreven als: 'wegens trouwe dienst'. Maar allicht speelde ook iets anders mee. Later zou een neef van Leon in zijn dagboek woorden tekortkomen om de verpletterende indruk die ze op hem maakte recht te doen:

> ...zulk een schoonheid is niet te beschrijven ... diepliggende ogen, een kleine neus, een fijngevormde mond met rode lippen, de onderlip ietwat dikker, ietwat vooruitstekend, de schedel klein, rond, een overvloed van glazig blauwzwart, niet-krullend haar, de wangen onbeschrijfbaar schoon, met een weinig, zeer weinig rood in de bruinachtige bleekheid. ... Wie de liefde van zulk een vrouw genieten mag, moet zich meer dan mens voelen.

Afgezien van de hoge koopsom was een transactie als deze in Charleston de gewoonste zaak van de wereld. Blanke mannen kochten wel vaker aantrekkelijke zwarte meisjes net voor ze de vruchtbare leeftijd bereikten en dus *fair game* zouden worden voor de mannelijke leden van de huishouding waartoe ze behoorden. Er werd, zoals Josiah Quincy verbaasd opmerkte in zijn reisdagboek, niet eens geheimzinnig over gedaan:

> Over de *enjoyment* van een negerin of mulattenvrouw wordt gesproken als iets heel normaals; daarover doet men niet terughoudend, fijngevoelig of beschaamd. Het is verre van ongebruikelijk om een heer te zien dineren terwijl zijn vermoedelijke nageslacht de meester aan tafel als slaaf bedient.

Wettige echtgenotes kozen er veelal wijselijk voor de liaisons van hun echtgenoten te negeren. Als ze zichzelf al toestonden boos te worden, dan richtte die woede zich steevast tegen de zwarte rivale, de goddeloze jezabel, die in hun beleving hun verder zo brave echtgenoot met haar onbeschaamde seksualiteit en duistere voodookunsten in haar macht had gekregen.

In de meeste gevallen was een koopdocument voor zo'n jong meisje dus niets anders dan een vrijbrief voor gelegaliseerde verkrachting, al ontstonden er af en toe wel degelijk langdurige, min of meer affectieve relaties tussen meester en slavin. Zo was het een publiek geheim dat president Thomas Jefferson naast zijn blanke gezin ook kinderen had bij zijn slavin Sally Hemings. Hun relatie begon toen zij veertien was en duurde tot zijn dood, negenendertig jaar later. Ook Arnoldus Vanderhorst, voormalig gouverneur van South Carolina en burgemeester van Charleston, had een zwarte concubine. Eenmaal weduwnaar, leefde hij tot zijn overlijden in 1815 zelfs min of meer openlijk met haar samen.

Deze en andere blanke mannen lieten hun minnaressen en de kinderen die uit de verbintenissen waren voortgekomen goed verzorgd achter. Soms schonken ze hun in hun testament zelfs de vrijheid. Maar nooit werden de zwarte vrouwen als echtgenote of hun kinderen als wettig nageslacht erkend. De belangen van de blanke nazaten wogen immers altijd zwaarder en de familienaam diende tegen elke prijs vrijgehouden te worden van zwart bloed. Evenmin werden zwarte minnaressen bij leven van hun eigenaar vrijgelaten; dat zou van hen min of meer serieuze concurrentes maken in plaats van bezit.

En daarom is Juliettes koopakte zo uniek. Niet alleen liet Leon zijn 'aankoop' meteen op het moment dat hij die in bezit kreeg vrij, ook deed hij dat uitgerekend op een moment waarop aangekondigd was dat zoiets binnenkort illegaal zou zijn. In die zin kan het verder zo kille document dat op 20 oktober 1820 werd opgemaakt, gezien worden als misschien wel een van de ontroerendste liefdesverklaringen in de Amerikaanse geschiedenis:

> Bij dezen erken ik dat ik de in dezen vermelde persoon, Juliette Louisa McCormick, van Mr. James Magnan heb gekocht in ruil voor trouwe dienst. ... Ik verklaar met onmiddellijke ingang dat voornoemde Juliette Louisa McCormick en al haar eventuele nakomelingen niet langer slaaf, maar voor altijd vrij zullen zijn.
>
> Ten bewijze waarvan ik op dit document mijn handtekening en zegel heb geplaatst te Charleston, op twintig oktober achttienhonderdtwintig, in het vijfenveertigste jaar van de onafhankelijkheid van de Verenigde Staten.
>
> Leon Herckenrath

*

De reden dat Leon opeens zoveel haast maakte met de aankoop van Juliette, was een wet die de staat South Carolina op 6 oktober, dus twee weken eerder, had aangekondigd om het in zijn ogen alarmerend groeiende aantal zwarten en mulatten in te dammen:

...waar de grote en snelle toename van vrije negers en mulatten in deze staat, ten gevolge van migratie en vrijmaking, het voor de wetgevende macht opportuun en noodzakelijk maakt om de vrijlating van slaven te beperken en te voorkomen dat vrije gekleurde personen de staat binnenkomen.

Anno 1820 woonden er in Charleston ongeveer 1500 vrije zwarten op een totale bevolking van 30 000. In de meeste gevallen ging het om voormalige minnaressen en hun kinderen, maar met de Franse exodus uit Saint-Domingue waren er ook veel vrije mannelijke mulatten meegekomen, die op hun beurt weer gezinnen vormden met het illegale, gemengdbloedige nageslacht van blanke slavenhouders. Weliswaar waren '*the free colored*' in alle opzichten tweederangsburgers – ze mochten niet stemmen, geen contracten afsluiten, niet getuigen en geen deel uitmaken van een jury; ze moesten apart zitten in kerken en opzijgaan als ze op straat een blanke tegenkwamen –, maar lezen, schrijven en bij elkaar komen mochten ze nog wel.

Echter: wie kon communiceren kon samenzweren, en wie kon samenzweren kon een opstand voorbereiden. En dat was nu precies waarvoor de slavenhouders sinds de voor hen traumatische gebeurtenissen op Saint-Domingue zo bang waren. Zodra de nieuwe wet zou zijn aangenomen, was het eigenaren verboden een slaaf zijn of haar vrijheid te geven en konden slaven ook zichzelf niet meer vrijkopen. Voortaan zou voor zo'n zogenaamde manumissie een *state legislature* oftewel een schriftelijke toestemming van de overheid nodig zijn.

Niets zou voor Leon binnen de bestaande verhoudingen gemakkelijker of logischer zijn geweest dan Juliette simpelweg te kopen en haar vervolgens als slavin bij zich te houden. Maar misschien stond de slavernij als instituut hem te veel tegen of waren het zijn moeder en zijn oudere zussen,

34

stuk voor stuk sterke karakters, die hem een vanzelfsprekend respect voor vrouwen hadden bijgebracht, ongeacht
de huidskleur. Of misschien was hij toen al, net als zijn neef
later, onder de indruk van de zorgzaamheid en de schoonheid van het meisje, dat hem voor de poort van de dood had
weggesleept.

En dus kocht hij haar niet, zoals andere blanke mannen,
om haar te bezitten – in welke betekenis van het woord ook.
Juist niet. Hij kocht haar om haar en haar eventuele nako-
melingen de vrijheid te geven om in de toekomst zélf hun
keuzes te kunnen maken.

*

Behalve van onderliggende gevoelens getuigt het document
van 20 oktober 1820 ook van iets anders, namelijk van het
zakelijke succes dat de nog maar twintigjarige Leon zich in
Charleston had weten te verwerven. Duizend dollar was in
deze tijd een klein vermogen en zeker geen bedrag dat iedere ambitieuze jonge gelukszoeker binnen twee jaar na aankomst in de stad op tafel kon leggen. Leon was, precies zoals
zijn familie had voorzien, een geboren handelsman, die zich
met zijn charme en vlotte geest moeiteloos een plaats had
weten te veroveren in de roerige, drukke wereld van East
Bay, het district pal naast de haven waar scheepsladingen en
laadruimte werden georganiseerd, verhandeld en doorver-
voerd.

Deze handel kon grote winsten opleveren, maar was ook
vol risico's. Alles draaide om de scheepsberichten die de
kranten dagelijks publiceerden. Welk schip was waar voor
het laatst gezien? Wanneer zou het in Charleston aanko-
men? Niet zelden stond een ongelukkige handelaar op de
kade vergeefs naar de horizon te turen, omdat zijn schip niet
aankwam – vergaan in een van de vele tropische stormen die
het Caraïbische gebied teisterden of ten prooi gevallen aan

piraten of de beruchte jutters op het Florida Reef.

Florida was in deze jaren nog altijd een omstreden en grotendeels wetteloos cowboyland. De bewoners schroomden niet om schepen opzettelijk op de klippen te laten lopen om zo de lading in handen te krijgen. In zeker één gedocumenteerd geval werd ook Leon het slachtoffer van deze praktijken en verloor hij een met suiker, melasse en spek volgeladen brik die vanuit New Orleans op weg was naar Charleston.

De onderlinge concurrentie tussen de handelaren was groot en bij gebrek aan snelle communicatiemiddelen dreven de zaken vooral op onderling vertrouwen, gentlemen's agreements en reputatie. Bijna even essentieel als de scheepsberichten waren dus de societyberichten. De blanke bevolking van Charleston was maar klein en de stad was door haar ligging op een vlak schiereiland uiterst overzichtelijk. Iedereen kende elkaar en zakelijk succes was ondenkbaar zonder goede contacten en een vlekkeloze reputatie. De oude, door talloze onderlinge huwelijken met elkaar verweven pioniersfamilies, die samen het aristocratische bastion van de stad vormden, deden bij voorkeur zaken met elkaar, en voor een buitenstaander was het bijna onmogelijk om daartussen te komen.

Uitnodigingen in het *social season* waren dus van essentieel belang voor nieuwkomers als Leon. In de maanden februari tot en met mei was de stad een aaneenschakeling van paardenraces, hanengevechten, muziekuitvoeringen, theatervoorstellingen, bals en huwelijken, met als hoogtepunten de Race Week en het St. Cecilia Ball, waar huwbare meisjes uit de betere families werden gepresenteerd. Want, zoals een bezoeker schreef: '...een hedonistischer, genotzuchtiger samenleving [dan Charleston] heeft nooit bestaan op het Noord-Amerikaanse continent.'

Op 7 juni 1822, twee jaar nadat Leon Juliette had gekocht, kwam het zorgeloze, eeuwige feest dat Charleston heette echter abrupt tot stilstand. Het stadsbestuur maakte in de somberste bewoordingen bekend een grote samenzwering onder vrije mulatten en slaven te hebben verijdeld. Het doel van de samenzweerders was alle blanke inwoners te vermoorden, de slaven te bevrijden, de stad plat te branden en vervolgens met schepen naar Haïti te vluchten. Een bloedbad zoals dat op Saint-Domingue had plaatsgehad was op het nippertje voorkomen.

Heel Charleston sidderde. '*There was a look of horror in every countenance,*' schreef een societydochter in haar dagboek. In de dagen erna verstrekte het stadsbestuur mondjesmaat meer informatie – als enige bron, want plaatselijke kranten schreven in de regel niet meer over onrust onder de zwarte bevolking, uit angst voor besmettingsgevaar.

Het brein achter de opstand zou, precies zoals gevreesd, een vrije en geletterde zwarte man zijn geweest. Deze Denmark Vesey was ooit van Bermuda als matroos naar Charleston gekomen en had daar van zijn eigenaar mogen bijklussen als timmerman. Van het verdiende geld had hij een lot gekocht, de loterij gewonnen en zichzelf vrijgekocht. Zijn vrouw en kinderen had hij als gevolg van de veranderde regelgeving echter niet meer vrij kunnen kopen en uit wraak had hij besloten alle blanken te vermoorden. Samen met medestanders die hij had geronseld bij een zwart kerkgenootschap was hij wapenvoorraden gaan aanleggen.

Op 2 juli, nog geen vier weken na de ontdekking van het complot, werden Vesey en vijfendertig medesamenzweerders aan de rand van de stad opgehangen. Maar daarmee was de ongerustheid achter de kleurige, door sinaasappelbomen omgeven gevels van Charleston niet verdwenen.

Integendeel. De angst was voorgoed de stad binnengeslopen. Angst voor mysterieuze branden en vergiftigingen, voor voodoopraktijken en samenzweringen. Angst voor wat schuilging achter de zwarte gezichten van de lijfeigenen met wie de burgers al zo lang als ze zich konden herinneren hun huizen en hun levens deelden.

Veel Charlestonianen voorzagen de muren rondom hun stadspaleizen aan de bovenkant van gebroken wijnflessen, zodat niemand eroverheen kon klimmen. Ook werd het gebruikelijke *diner à la française*, dus met verschillende gangen, vervangen door het zogenaamde *diner à l'anglaise*, waarbij de maaltijd in één keer op tafel werd gezet – dit om de kans te verkleinen dat zwarte bedienden de tafelgesprekken afluisterden. De dagelijkse slavenpatrouilles in de straten werden geïntensiveerd, en een blok tabakspakhuizen aan Boundary Street – daar waar de stad aan de noordkant overging in de zogenaamde 'Charleston Neck', een sloppenwijk waar veel vrijen woonden en waar Vesey zijn huis had gehad – werd omgebouwd tot een onneembare militaire citadel annex wapenarsenaal.

Ook vaardigde de staat South Carolina weer een heel stel nieuwe 'Negro Laws' uit. Zo werd het legaal om zonder vorm van proces 'elke weerspannige of brutale slaaf te doden' – iets wat in de praktijk overigens allang gebeurde zodra een eigenaar ook maar het vaagste vermoeden van brandstichting of vergiftiging had. Een andere wet verordonneerde dat zwarte zeelieden voortaan dienden te worden opgesloten in de City Jail zolang hun schepen in de haven voor anker lagen. Op hulp aan gevluchte slaven of kleurlingen kwam voor iedereen, blank of zwart, de doodstraf te staan.

Voortaan moesten vrije zwarten en mulatten zich laten registreren samen met een blanke die voor hun karakter instond en twee dollar per jaar belasting betalen. Op bepaalde plekken mochten ze niet meer komen, in de rest van de stad moesten ze ten overstaan van de beruchte slavenpatrouilles te allen tijde het bewijs kunnen overleggen dat ze vrij waren. Ook werd hun verboden de staat nog uit of in te reizen. Alle overtredingen werden bestraft met zweepslagen en het onmiddellijke verlies van hun vrijheid, zodat ze alsnog als slaaf op de veilingtafels van de dagelijkse openbare verkopen bij East Bay belandden.

*

Voor veel vrije zwarten was de situatie nu zo onleefbaar geworden dat ze ondanks alle risico's de staat ontvluchtten en hun heil zochten in de noordelijke staten. Maar Juliette bleef in haar geboortestad. In eerste instantie bleef ze na haar vrijmaking bij haar moeder Josephine en haar in 1820 geboren broertje Henry in het weelderige huishouden van James Magnan aan King Street. Maar drie jaar later verhuisde ze naar een eenvoudig, uit drie verdiepingen bestaand houten huis, samen met de jongeman die zoveel geld had betaald om haar de mogelijkheid te geven haar eigen keuzes te maken. Want ze koos voor hem.

Op 15 augustus 1823, een jaar na de Vesey-opstand, trouwden Leon en Juliette tijdens een kleine, geheimgehouden, katholieke plechtigheid. Dat zo'n ceremonie überhaupt kon plaatsvinden dankten ze aan hun beider geloofsovertuiging, want van alle kerkgenootschappen in Charleston was de katholieke kerk de meest rekkelijke waar het interraciale relaties betrof. Zolang kinderen maar '*in the faith*' geboren werden, was het al snel goed. Het enige wat ze nodig hadden was een sympathieke priester en twee getuigen. En Juliette was in de unieke positie dat ze haar eigen huwelijkscontract kon ondertekenen: Leon had haar in de tussenliggende jaren lezen en schrijven geleerd.

5 Magazine Street

Voor Leon betekende zijn geheime huwelijk het begin van een dubbelleven dat moeilijker werd naarmate er meer kinderen kwamen en zijn zakelijke successen in de buitenwereld zich opstapelden. De elite in Charleston, van wier goodwill en vertrouwen hij afhankelijk was, koesterde een diepe minachting en zelfs haat voor wat ze '*nigger lovers*' noemden. In de woorden van een verontwaardigde bezoeker:

> De negatiefste uitdrukking die kan worden gebezigd voor blanke personen die sympathie tonen voor het onrecht dat het Afrikaanse ras wordt berokkend is, zo ontdekte ik algauw, 'hij laat zich met nikkers in'.

Nog veel minder had de plantersaristocratie op met blanke mannen die het in hun hoofd haalden daadwerkelijk met een zwarte of gekleurde vrouw te *trouwen*. In een reisverslag beschreef de Britse schrijver John Benwell de ophef die ontstond toen het onderwerp eens ter sprake kwam tijdens een diner. Het gesprek ging over een plantagehouder die samen met zijn zwarte minnares naar het Noorden was gevlucht om daar met haar te kunnen trouwen, en er ontspon zich een levendige discussie over wat de man te wachten zou staan als hij zich ooit weer in Charleston zou vertonen:

> Nadat allerlei meningen waren verkondigd over wat er met de man moest gebeuren ... [zeiden] verreweg de meesten van hen dat hij standrechtelijk moest worden aangepakt door de zogeheten verontwaardigde burgers, met andere woorden, moest worden 'gelyncht'. ... Het gezelschap was van oordeel dat iedere man die een vrouw huwde bij wie negerbloed door de ade-

ren stroomt de strop verdiende, omdat hij een verrader van de zaak van het Zuiden en een slecht burger was. Die opvatting werd luid toegejuicht.

Tegenover de buitenwereld diende Leon dus de rol te blijven spelen van de zorgeloze vrijgezel, die, als hij zijn wilde haren eenmaal kwijt was, ongetwijfeld een respectabel huwelijk met een aantrekkelijke blanke societydochter zou sluiten. Ondertussen moesten hij en Juliette koste wat het kost buiten het schootsveld van de roddelzieke societydames van de stad zien te blijven. En nergens kon dat beter dan in een straat waar iedere ordentelijke burger met een grote boog omheen liep. Want niet alleen lag Magazine Street aan de westkant van de stad, vlak bij de ongezonde, moerassige *wastelands*, ook was dit het adres van de twee beruchtste gebouwen op het schiereiland, te weten de Charleston City Jail en het Work House.

Het laatstgenoemde gebouw stamde uit 1802 en had in de stad de bijnaam 'Sugar House' gekregen, naar de suikerpakhuizen die er eerder hadden gestaan. Eigenaren betaalden een bepaald bedrag om ongehoorzame slaven hierheen te laten brengen *to sweeten* of *to sugar them up*, zoals dat in stadsjargon heette. In de kelders van het gebouw stonden kranen om de lichamen van gegeselden zo ver mogelijk uit te rekken, zodat de zwepen maximale schade konden aanrichten. Ook was er een enorme tredmolen om koren te malen, gaande gehouden door tientallen in lendendoeken geklede gestraften. Wie het moordende tempo niet kon bijhouden en struikelde, bekocht dat met verminkte of verbrijzelde voeten.

Vaak waren mensen na een verblijf in het Sugar House zowel geestelijk als lichamelijk zulke wrakken geworden dat hun eigenaren het niet meer de moeite vonden ze op te halen. Na zestig dagen werden ze alsnog geveild. Het bestaan van dit instituut vormde dan ook een groot deel van de verklaring voor de ogenschijnlijke dociliteit van de slaven in Charleston waarover bezoekers zich vaak verbaasden. Meestal was een terloopse opmerking in de trant van 'Zal ik jou eens een beetje suiker laten halen?' al voldoende om zelfs de weerspannigste slaaf weer in het gareel te krijgen.

Als er één plek was waar je je ogen onmogelijk kon sluiten voor de ultieme wreedheid van de slavernij, dan was het wel hier, aan Magazine Street. Daarom woonden er alleen mensen die in nettere buurten niet werden getolereerd, zoals prostituees, vrije zwarten en opzichters en cipiers, die, al waren ze dan blank, door de burgers als het laagste van het laagste werden beschouwd.

Volgens de volkstelling van 1830 bewoonden Leon en Juliette een drie etages tellend houten huis pal tegenover de twee sinistere grote stenen gebouwen die de straat domineerden. Ze deelden de woning met twee andere vrije zwarte vrouwen, hun kinderen en enkele slaven. Dat laatste was volstrekt normaal – bijna elk huishouden in de stad had slaven, en vrije zwarten hadden ze als ze het zich konden veroorloven dus ook.

Vanzelfsprekend was Magazine Street op geen enkele manier een passend of praktisch adres voor de consul van Nederland of een veelbelovend zakenman als Leon. Maar hij en Juliette vonden hier wel iets wat in de rest van de stad ver te zoeken was: anonimiteit.

*

Op zondag 11 juli 1824 schonk de vijftienjarige Juliette het leven aan hun eerste kind. Het was een dochter. Drie maanden later, toen het kind de eerste, kwetsbaarste tijd had overleefd, brachten zij en Leon Virginie naar de katholieke kerk aan Hasell Street om haar te laten dopen. In krullerig handschrift noteerde de dienstdoende priester, John McEneroe, in het doopboek:

Op 10 oktober doopte ik France Virginie drie maanden oud
dochter van Leon Herckenrath & Louise, slaaf ...
J. McEneroe
France Virginie slaaf

Zowel Juliette (Louise) als hun baby werd dus als Leons eigendom geregistreerd. Gezien de situatie was dat ook wel
zo verstandig. Want hoe afkerig de blanke goegemeente
ook stond tegenover 'nigger lovers', ze was nog altijd hypocriet genoeg om geen moeite te hebben met een blanke
man die zijn slavin zwanger had gemaakt. In de ogen van de
Charlestonianen kón Juliette niet eens meer zijn dan een
concubine – vrije mulatten zoals zij mochten immers helemaal geen contracten sluiten. Zij en haar kind vormden juridisch dan ook geen enkel beletsel voor een eventueel huwelijk met een blanke vrouw.

Leon verkreeg dit jaar het Amerikaanse staatsburgerschap, en afgaande op passagierslijsten reisde hij in deze periode veelvuldig heen en weer tussen New York en Europa
om contacten te leggen en investeerders te vinden. Ondertussen hoedde Juliette zich er zorgvuldig voor zich te iden-
tificeren als zijn vrouw. Haalde ze een brief of pakjes van
Leon op in het Charleston Post Office aan Meeting Street,
dan deed ze dat getuige oproepen in de krant onder de naam
'Madame Juliette Magnan'. Ook haar moeder haalde haar
poststukken altijd op onder de naam 'Josephine Magnan' –
al was ze niet de echtgenote, maar nog altijd een slavin van
James Magnan.

In 1826 kregen Leon en Juliette een tweede dochter, die
Adele Catharina werd genoemd. Dat jaar werd Leon voor
de eerste keer geregistreerd op het immigranteneiland
Ellis Island bij New York. Waarschijnlijk geïnspireerd dan
wel geadviseerd door James Magnan, zette hij daar samen
met een Nederlandse compagnon een agentschap op voor

de doorverkoop van wijn en sterkedrank onder de naam Herckenrath & Van Damme.

In 1828, drie maanden na de geboorte van Constantia, de derde dochter, volgde Leons grote zakelijke doorbraak. Een advertentie in *The Charleston Courier* van 6 juni meldde:

Ondergetekenden zijn heden een vennootschap onder firma aangegaan voor een tussenhandelsonderneming met de bedrijfsnaam Herckenrath & Lowndes, gevestigd aan Chisolm's Lower Wharf.

Leon Herckenrath & C.T. Lowndes

Voor de net achtentwintig jaar geworden Leon betekende deze samenwerking een absolute triomf. Alleen al de achternaam van zijn acht jaar jongere compagnon was voldoende om iedere deur in Charleston en ver daarbuiten wijd open te laten zwaaien. Charles Tidyman Lowndes stamde af van een Brit die in 1670 via het Caraïbische eiland Saint Christopher naar het zuiden van Amerika was gekomen en een rijstplantage in het Colleton-district had aangelegd. Als pioniersfamilie behoorde de Lowndes-clan tot de politieke en sociale top van South Carolina – Charles' grootvader was de tweede president van de staat geweest en zijn vader zat als senator in het Amerikaanse Congres.

Zelf was de boomlange Charles in alles een klassieke zuiderling: joviaal, hartelijk en zeer loyaal in zijn allianties. De vriendschap met Leon zou vijfendertig jaar duren. Maar niets in zijn leven duidde erop dat hij er verlichtere denkbeelden over de slavernij op na hield dan zijn stadsgenoten. Hij was verloofd met een dochter van een van de andere toonaangevende families van South Carolina en erfgenaam van de rijstplantage Oakland aan de Combaheerivier, waar maar liefst 370 slaven voor hem werkten.

Zou bekend worden dat Charles' compagnon een gemengdbloedig meisje had vrijgekocht, haar had leren lezen en schrijven en haar en hun kinderen liefhad als zijn gelijken, dan had dat meteen het einde van de nieuwe firma betekend. Juliette en haar kinderen moesten dus blijven wat en waar ze waren: een donker geheim aan Magazine Street.

*

Aan het begin van 1829 werd Leons staatsburgerschap bevestigd en zwoer hij voor de tweede keer, en nu definitief, de eed van trouw aan zijn nieuwe vaderland. Kort erna moet er iets zijn gebeurd wat hem dwong zijn loyaliteit aan de klasse waarin hij net was toegelaten te bewijzen – en wel op de gevaarlijkste en meest Charlestoniaanse manier mogelijk, namelijk met een duel.

Nergens anders in de westerse wereld vonden in deze jaren nog zoveel duels plaats als in South Carolina, ook al waren die al sinds 1812 verboden op straffe van tweeduizend dollar boete en een jaar gevangenis. Sommige historici schreven de voorliefde van vooral jonge Charlestonianen voor de gewapende tweestrijd toe aan het warme, vochtige klimaat, dat de gemoederen snel verhitte, of aan het overvloedige alcoholgebruik in de stad. De waarschijnlijkste verklaring is echter dat de heethoofdige jongens uit de aristocratische families met hun geërfde weelde en hun gespreide bedjes weinig anders te bevechten hadden dan hun eer en dat ze, al van jongs af aan gewend slaven te commanderen, niet echt gewoon waren aan tegenspraak.

De duels werden uitgevochten volgens een strikt ritueel, gebaseerd op de uit 1777 stammende Ierse *Code Duello*, oftewel *The Code of Honor*. Iedere duellist had een '*second*', in de meeste gevallen een goede vriend, die van tevoren over alle details onderhandelde, de pistolen laadde en tijdens het gevecht als scheidsrechter optrad. Ook zorgde hij ervoor dat er een arts in de buurt was en assisteerde hij als er bloed vloeide. In naar schatting één op de vijf gevallen resulteerde een duel in de dood van een van de deelnemers. Volgens de wet van South Carolina werd dat niet als moord of doodslag beschouwd en dus ook niet als zodanig bestraft.

Omdat het in ieders belang was om de duels uit de kranten te houden, vonden ze bijna altijd plaats in de vroege ochtend en op afgelegen locaties. Ook Leons gevecht bleef '*ungazetted*'. Pas jaren later zouden enkele details in een boek vermeld worden. Volgens deze summiere gegevens was zijn tegenstander een zekere R.H. Thompson, die gezien zijn vermelding in het stadsadresboek een handel dreef in wijn en likeur, pal naast het hoofdkwartier van de firma Herckenrath & Lowndes aan Chisolm's Lower Wharf. Het duel vond plaats op het exercitieterrein voor de nieuwe Citadel aan de noordgrens van de stad, naast een straat die, al dan niet toevallig, Lowndes Street heette. Wie van de kemphanen de uitdager was werd niet vermeld, evenmin als de aard van de belediging die gewroken moest worden.

*

In familiekring zou later worden gesuggereerd dat Leons besluit om zijn leven op deze manier op het spel te zetten verband hield met het plotselinge overlijden van zijn eenjarige dochtertje Constantia, op 14 juli 1829. Zijn makkelijke karakter en vlekkeloze zakelijke reputatie in aanmerking genomen is de kans inderdaad groot dat de aanleiding voor het tweegevecht persoonlijk van aard was en wellicht iets te maken had met Juliette. In de woorden van de Code Duello:

> Het beledigen van een dame die aan de zorg of bescherming van een heer is toevertrouwd, dient als één graad ernstiger te worden beschouwd dan een belediging van die heer zelf, en de genoegdoening moet dienovereenkomstig worden bepaald.

Ondertussen zette Leon in dit gevecht niet alleen zijn eigen leven op het spel, maar ook dat van zijn gezin. Zonder hem zouden Juliette en hun kinderen onbeschermd en zonder middelen van bestaan achterblijven, want de enige manier voor een vrije mulattin om in Charleston geld te verdienen was als naaister, wasvrouw of prostituee. Hun afscheid op de houten veranda van hun huis aan Magazine Street moet dan ook hartbrekend zijn geweest, en de blijdschap en opluchting toen Leon later, misschien gewond maar in ieder geval in leven, weer thuiskwam, des te groter.

Getuige latere vermeldingen in de *City Directories* overleefde ook Leons tegenstander het gevecht. Wellicht om hem niet meer als buurman tegen te hoeven komen, verhuisde de firma Herckenrath & Lowndes rond deze tijd naar Craft's South Wharf, een noordelijker gelegen aanlegsteiger. Daar ontwikkelde de zaak zich vervolgens in hoog tempo tot een van de succesvolste handelskantoren van de stad. Leon was er duidelijk in geslaagd om in de ogen van de buitenwereld in één keer een einde te maken aan alle mogelijke twijfels rondom zijn respectabiliteit en zijn loyaliteit aan de blanke upper class. Tegelijkertijd leek zijn geheime gezin nu veilig – voor zo lang als het duurde.

6 Angst

Gedurende de daaropvolgende jaren getuigden talloze advertenties en scheepsberichten in *The Charleston Courier* van de manier waarop Leon en Charles als een stel gretige jonge honden alle handel oppakten die hun kant op kwam. Ze kochten, verhandelden en transporteerden vooral bulkgoederen: scheepsladingen rijst, katoen en zout. Ook importeerden ze producten, zoals madera. Soms huurden ze zelf vaartuigen, bijvoorbeeld voor het vervoer van ongepelde rijst van de molens in de lowlands naar de haven van Charleston; soms maakten ze gebruik van bestaande lijnverbindingen met vooral New York.

In 1830 benoemde Martin Van Buren, minister van Buitenlandse Zaken in Washington, Leon opnieuw tot consul voor North en South Carolina en deze keer ook voor het Duitse hertogdom Oldenburg. Aan Magazine Street werd weer een dochter geboren, die Pauline werd genoemd, en in de stad ging alles zijn vertrouwde gang. De Charlestonianen concentreerden zich gewoontegetrouw op hun pleziertjes en hun garderobes; hun slaven deden gedwee wat er van ze werd verwacht.

Maar in de slavenkwartieren achter de fraaie plantage- en stadshuizen broeide het en op 21 augustus 1831, in het heetst van de zomer, werd het Zuiden van Amerika opgeschrikt door een nieuwe opstand – deze keer op eigen grondgebied. Schijnbaar vanuit het niets vermoordde een groep plantageslaven in de staat Virginia hun eigenaar, hun opzichters en vervolgens iedere blanke die ze te pakken konden krijgen. Ze wisten meer dan vijftig slachtoffers te maken voor ze door militaire eenheden gedood werden. Nat Turner, de leider van de opstandelingen, slaagde erin om ruim twee maanden op vrije voeten te blijven voor hij zonder vorm van proces werd afgeschoten.

Negen jaar na de verijdelde Vesey-samenzwering hadden de zuiderlingen hun meest diepgewortelde angst alsnog bewaarheid zien worden. Wie kon er nog zorgeloos slapen, wetend dat hij wakker gemaakt kon worden door donkere gestalten met blikkerende messen boven het bed? Wie durfde nog rustig door de weelderige tuin rond zijn plantagehuis te wandelen, met het gevoel dat er ieder moment een op wraak beluste zwarte achter een van de imposante *live oaks* kon opdoemen? En hoe gevaarlijk werd reizen door een land waar je nooit zeker wist hoeveel moordlust zich verborgen hield in het ondoordringbare groen rond de wegen?

Niet lang na de Turner-opstand verkocht James Magnan zijn bezittingen en vertrok samen met vrouw en dochters voorgoed uit dit deel van de wereld. Hij vestigde zich in Frankrijk, het land waar zijn vader ooit vandaan was gekomen om fortuin te maken over de ruggen van zwarte mensen en waar hijzelf nu veiligheid zocht uit angst voor hun wraak. Aangezien in Frankrijk de slavernij allang was afgeschaft, kon hij ditmaal geen slaven meenemen op zijn vlucht. Juliettes moeder Josephine, haar oudste zoon Henry en de in 1828 geboren James bleven dus achter in Charleston, waarschijnlijk in het huishouden aan Magazine Street.

*

Alle historici waren het er later over eens dat het jaar 1831 een keerpunt was in de geschiedenis van de Verenigde Staten. Het abolitionisme, zoals de beweging voor afschaffing van de slavernij zich had genoemd, groeide in het Noorden uit tot een ware rage. Er werden zelfs antislavernijtheeserviezen verkocht. Kort na de dood van Nat Turner publiceerde de journalist en krantenuitgever William Garrison in Boston het eerste nummer van het radicale blad *The Libera-*

tor. In zijn voorwoord omschreef hij de slavernij onomwonden als '*a convenant with death and an agreement with hell*'.

Charleston boette als havenstad ook nog eens gevoelig aan belang in door de snelle opkomst van stoomschepen, die niet afhankelijk waren van de wind. Ooit beschouwd als de meest liberale en ruimhartige mensen op het Amerikaanse continent, verschansten haar inwoners zich steeds meer achter een grimmig, uiterst conservatief soort patriottisme. In deze jaren organiseerde Daniel Huger, een zwager van Leons partner Charles Lowndes, grote militaire parades waarin het Zuiden werd verheerlijkt. Officieel waren deze zogenaamde 'nullificatieparades' gericht tegen de federale belasting die de centrale regering in Washington haar lidstaten had opgelegd, maar eigenlijk waren ze een protest tegen al het onrecht dat de zuiderlingen zich vanuit het Noorden voelden aangedaan.

Tegenover de buitenwereld bleven de slavenhouders hun 'peculiar institution' koppig verdedigen met een beroep op het Opperwezen, de wetenschap, hun eigen goedertierenheid of een combinatie van die drie. Het was, zo redeneerden ze, nu eenmaal door God bepaald dat zij voor zwarte mensen moesten zorgen, want de zwarten waren als kinderen en niet in staat zelfstandig te leven. Bovendien hadden de slaven het bij hen veel beter dan de uitgebuite industriearbeiders in het Noorden.

Volgens zuidelijke politici zou afschaffing van de slavernij onvermijdelijk uitlopen op een rassenoorlog. In de woorden van essayist Edwin C. Holland:

Negers zijn de 'jakobijnen' van het land, voor wie we altijd op onze hoede moeten blijven, en hoewel we niet bang zijn voor blijvende gevolgen van rebellie, moeten we ze voortdurend en consequent in de gaten blijven houden. Het zijn de anarchisten en de binnenlandse vijand, de gemeenschappelijke vijand van

beschaafde mensen, en de barbaren die, ALS ZE DAT KON
DEN, de VERNIETIGERS van ons ras zouden worden.

De zuidelijke politicus John Calhoun, die in 1824 tot vice-
president gekozen werd, was een van de eersten die publiekelijk het woord 'afscheiding' in de mond namen. Zouden
de noordelijke staten, zo waarschuwde hij, niet ophouden
zich te bemoeien met de interne aangelegenheden in de zuidelijke staten, dan zouden die laatste zich desnoods afschei-
den en als zelfstandige unie verdergaan.

Ook na de Turner-opstand vertaalde de angst onder de
blanken zich in draconische maatregelen om de zwarte en
gekleurde bevolking nog strakker op haar plaats te houden.
Zo nam South Carolina aan het einde van 1831 een wet aan
die iedere vorm van onderwijs aan vrije kleurlingen strafbaar stelde. Hiermee zagen Leon en Juliette de toekomst
van hun kinderen met één pennenstreek in rook opgaan.

Hun eerste zoon was geboren op 8 november 1831, in
het oog van de storm. Ze hadden hem naar zijn grootvader
en vader Gerard Leon Herckenrath genoemd. Maar deze
naam zou hij nu zelf nooit mogen leren schrijven, het al-
fabet zou hij nooit mogen leren en de boeken waarvan zijn
vader zo hield zou hij nooit mogen lezen. Zeker voor Leon,
die was opgegroeid met het idee dat onderwijs heilig was,
was dat een onverteerbare gedachte.

Een bijkomende complicatie was het feit dat de oudste
dochters, Virginie en Adele, de vruchtbare leeftijd nader-
den en, afgaande op latere foto's, net zo mooi dreigden te
worden als hun moeder. Weliswaar liet Juliette zich ieder
jaar plichtsgetrouw registreren in het free colored-register
– nog altijd onder de naam Magnan –, maar de kinderen waren nooit opgegeven. Adele was de enige die als vrije was
gedoopt, Virginie was volgens haar dooppapieren een slavin en de overigen waren helemaal niet gedocumenteerd.

Met hun knappe uiterlijk werden vooral de oudste meisjes een steeds begeerlijker prooi voor de slavenpatrouilles en de handelaren aan East Bay.

*

Leon bevond zich in een onmogelijke positie. Vluchten uit Charleston was levensgevaarlijk. Nog afgezien van het risico dat Juliette en hun kinderen opgepakt zouden worden en alsnog op het veilingblok zouden belanden, liep hij zelf de kans de doodstraf te krijgen wegens hulp bij hun ontsnapping. Daarnaast zou zijn vertrek uit de stad het einde betekenen van alles wat hij met hard werken had opgebouwd. Hiermee zou hij zowel zijn gezin financieel ruïneren, alsook zijn broers en moeder thuis in Holland, die in de loop der jaren waren gaan rekenen op de gestage stroom dollars die Leon voor hen in Amerika verdiende.

Zijn firma verplaatsen naar Nederland was geen optie, want de Nederlandse economie stond er in deze jaren beroerder voor dan ooit. In 1830 hadden de Zuidelijke Nederlanden, die dankzij de Waalse kolen- en ijzermijnen nog relatief welvarend waren, zich van het kwakkelende koninkrijk afgescheiden om zelfstandig als het koninkrijk België verder te gaan. Koning Willem I was te koppig om zijn verlies te nemen en hield zijn troepen gemobiliseerd, waardoor de economische misère ronduit dramatisch zou worden.

Een verhuizing naar New York bood evenmin soelaas. Weliswaar stond Leon daar nog altijd aan het hoofd van de in de tussentijd tot House of Herckenrath, Schneider and Company omgedoopte wijngroothandel, maar getuige latere zakelijke correspondentie bezat Charles Lowndes de helft van de aandelen. Niet alleen zou Leon zijn vrouw en kinderen tijdens zijn veelvuldige zakenreizen onbeschermd in de ruwe metropool New York moeten achterlaten, ook zou een dergelijke desertie onherroepelijk uitlekken naar

Charleston – met alle persoonlijke en zakelijke gevolgen van dien.

In Charleston blijven betekende echter dat Leons kinderen nooit méér zouden kunnen worden dan onopgeleide en ongedocumenteerde paria's, gevangen in een politieke kloof die met de dag gevaarlijker leek te worden. Door de blanke bevolking werden gemengdbloedigen gewantrouwd en gemeden, en ook in de ogen van de zwarte bevolking waren *quadroons*, zoals driekwart blanken als zij werden genoemd, verdacht. Zouden de slaven hier op een dag in opstand komen, dan leed het weinig twijfel dat Juliette en de kinderen samen met de blanken zouden worden afgeslacht, net zoals dat gebeurd was met mulattengezinnen op Saint-Domingue. Ze zaten als ratten in de val.

Voor Leon zelf bestond er altijd nog een eenvoudige manier om zijn eigen veiligheid te waarborgen. Een huwelijk met een dochter of zuster van een van zijn invloedrijke vrienden in de blanke bovenlaag van Charleston zou hem voorgoed in de elite verankeren. Maar nog afgezien van het feit dat hij emotioneel duidelijk niet in staat was de vrouw van wie hij hield op te geven of haar achter een huwelijk met een blanke vrouw te verstoppen, zou een dergelijke stap de risico's voor haar en hun kinderen alleen maar vergroten. Eén melding van een jaloerse echtgenote en het hele huishouden aan Magazine Street zou worden opgepakt en via de slavenmarkt voorgoed uit zijn leven verdwijnen – als zoveel zwarte gezinnen uit elkaar gerukt en doorverkocht aan verre plantages in andere staten.

*

In februari 1833 kreeg Juliette een vijfde dochter. Het meisje kreeg de naam Alida, naar Leons moeder. In Charleston werd dit jaar de tweede en langste spoorlijn van de Verenigde Staten geopend. Maar alle feestelijkheden werden overschaduwd door de gespannen politieke situatie. Nóg ging het normale leven zijn gangetje, nog werd er gedineerd en gedanst, nog deden de slaven wat hun werd opgedragen. Maar hoelang zou dat nog duren? In Philadelphia werd in 1833 de overkoepelende American Anti-Slavery Society opgericht. Somber noteerde Hugh Legaré, de voormalige procureur-generaal van South Carolina, in zijn dagboek: 'Ik zie niets anders voor ons dan verderf en ondergang.'

*

Enkele maanden na de geboorte van Alida bezocht Leon een advocaat. Hij was in gezelschap van Thomas Roger, de jurist die dertien jaar eerder Juliettes koopdocument had opgemaakt. Uit Europa was net het bericht gearriveerd dat James Magnan in de herfst van 1832 in Versailles was overleden, en in deze bange tijden was het raadzaam geen enkel risico te nemen waar het Juliettes vrije status betrof. Dus liet Leon op het originele koopdocument de volgende tekst toevoegen:

> Thomas Roger verklaart als getuige onder ede dat James Magnan deze verkoopovereenkomst heeft getekend, verzegeld en gedeponeerd, en tevens dat Leon Herckenrath de aangehangen vrijverklaring ... heeft getekend en dat hij tezamen met J. Tavel getuige is geweest van het voornoemde in mijn aanwezigheid op 29 april 1833.

Kort hierna verdween hun oudste dochter, de negenjarige Virginie, spoorloos uit het huis aan Magazine Street.

7 De vliegende Hollander

In de vijftien jaar sinds Leon uit Monster was vertrokken, was daar zo goed als niets veranderd. Het leven ging zijn gang zoals het dat al sinds de middeleeuwen deed, gedicteerd door de seizoenen en geboortes, trouwerijen en begrafenissen. De weg naar Loosduinen was inmiddels bestraat, maar verder was er nergens iets van vooruitgang te merken. Geen rokende fabrieken of spoorwegen, zoals die elders in de wereld met zoveel voortvarendheid werden aangelegd – nog altijd vormde de trekschuit die dagelijks via de Monsterse trekvaart naar Den Haag voer de voornaamste verbinding met de buitenwereld.

Ook op Geerbron zelf was alles als vanouds. Alida Herckenrath leefde, met dank aan haar jongste zoon in het verre Amerika, nog altijd gezond en zelfstandig in haar mooie huis. Vlakbij woonde haar dochter Constantia van der Meer van Kuffeler met man en kinderen. Ook Alida's zonen in Amsterdam hadden een gezin gesticht. Louis, nu een gerespecteerd bankier en lid van de gemeenteraad, had de befaamde Amsterdamse schoonheid Suzanna van Erven Dorens getrouwd; August woonde met vrouw en kinderen aan de hoofdstedelijke Gouden Bocht, van waaruit hij zijn patiënten met een eigen koets en koetsier bezocht. Als gevolg van het vroegtijdige overlijden van dochter Maria in 1827 woonde op Geerbron nu ook weer een kind, de elfjarige Theresia 'Treesje' Allebé, die door haar vader bij haar grootmoeder was ondergebracht.

In het najaar van 1833 zagen de dorpelingen echter iets heel merkwaardigs op het landgoed. Er liep opeens een tweede meisje rond. Ze was iets jonger dan Treesje, maar ze had een donkere huidskleur en sprak alleen Frans. Nog verbaasder keken de dorpsbewoners toen de oudste zoon van mevrouw Herckenrath een week of zes later een nog jonger maar verder bijna identiek bruin meisje kwam afleveren. Op 30 november 1833 refereerde Treesjes vader in een brief voor het eerst aan 'de zoete Virginie' en 'de olijke Adele'. De laatste had, schreef hij geamuseerd, aanvankelijk niets moeten hebben van de Nederlandse kool en andere groenten die haar op Geerbron werden voorgezet. Was ze er al een beetje aan gewend?

*

In Charleston wachtten de ouders van de meisjes deze winter in grote spanning op de zorgvuldig dichtgelakte brieven van oom Louis in Amsterdam. Was het kind dat ze moederziel alleen aan een bevriende schipper hadden toevertrouwd tijdens de afvaart inderdaad braaf onderdeks gebleven? Was ze niet ontdekt tijdens de strenge controles op vluchtende slaven en kleurlingen waar ieder vertrekkend schip aan onderworpen werd? En was ze op het allerlaatste moment niet tóch nog door een matroos of een andere opvarende verraden, omdat het bedrag dat ze op de slavenmarkt waard was hoger was dan de omkoopsom die Leon had betaald om haar veilig naar de overkant te smokkelen?

Iedere keer dat een brief met trillende vingers was opengescheurd en de ogen langs de zinnen op het papier waren gevlogen, was er een immense opluchting – die meteen werd gevolgd door nieuwe spanning. Want nu diende het volgende, nóg jongere kind te worden voorbereid op de overtocht en werden de dagen tot het volgende afscheid geteld.

Zo werden de kinderen Herckenrath de een na de ander in het diepste geheim naar Europa gesmokkeld. Vanzelfsprekend konden de kleintjes niet alleen reizen en dus moesten er bij hun vlucht meer mensen in het complot worden betrokken. En iedere keer dat er iemand in vertrouwen moest worden genomen, werd het risico groter, de omkoopsom hoger, de spanning bij de achterblijvers achter de houten luiken aan Magazine Street ondraaglijker.

Wonder boven wonder lekte er niets uit, wonder boven wonder waren er geen buurvrouwen in Charleston die melding maakten van het feit dat het wel heel rustig begon te worden in Juliettes kinderrijke huishouden. En dus bereikten ook de vierjarige Pauline, de driejarige Gerard en de eenjarige Alida veilig de overkant. In de haven van Amsterdam werden ze opgevangen door hun oom Louis, die hen in zijn rijtuig naar Geerbron bracht voor de hereniging met hun oudere zussen en de kennismaking met hun onbekende Hollandse grootmoeder.

Op 13 november 1834 kreeg Juliette weer een dochter. Ze werd Septima Theresia Maria genoemd – naar haar nichtje op Geerbron, Leons betreurde oudste zuster en vanwege het feit dat ze het zevende kind was. Niet veel later ging Leon weer op zakenreis naar Europa. En deze keer trok ook Juliette voor het laatst de deur van haar huis aan Magazine Street achter zich dicht. Nu was het haar beurt om met ingehouden adem het water tegen de houten buik van het schip te horen klotsen, met boven haar het geluid van de blote voeten van de matrozen die de kabels losgooiden, de zeilen hesen en het anker ratelend uit het water takelden. En nu was zij het die, de baby tegen zich aan gedrukt – als ze maar niet ging huilen! –, de laarzen van de mannen van de slavenpatrouilles op de dekplanken hoorde, op zoek naar smokkelwaar als zij.

Op het moment van haar vlucht was Juliette vijfentwintig jaar. Ze had nooit eerder gereisd en verliet de enige wereld die ze ooit had gekend, haar moeder, haar jongere broers en de vrouwen met wie ze jarenlang haar huis en haar leven had gedeeld. En terwijl Leon zijn grote overtocht in 1818 kon ondernemen in de wetenschap dat hij wanneer hij wilde terug zou kunnen naar zijn vaderland, moet zij beseft hebben dat het nog wel eens lang zou kunnen duren eer Charleston voor haar veilig genoeg zou zijn om terug naar huis te gaan.

*

Juliette arriveerde hartje winter in Monster. Het verschil tussen haar nieuwe en haar oude woonplaats had niet groter kunnen zijn. Zo warm, druk en kleurig als Charleston was geweest, zo stil en kil was het op het Nederlandse platteland. Thuis rook het naar sinaasappelbomen en zoete magnolia's, hier naar modder en zilte duinen. Bijna niemand sprak Engels of Frans – het onverstaanbare taaltje dat hier werd gesproken klonk haar, gewend als ze was aan het zangerige dialect van haar geboortestad, hard en grof in de oren. Er was hier geen elegantie, geen rijkdom, geen joie de vivre; er was geen zon of warmte – er was alleen de tot diep in je botten doordringende grauwe kou van de Hollandse winter.

Misschien nog wel het merkwaardigst was het feit dat hier niemand was die zo donker was als zij, en dat blanken het soort werk deden waar ze in Charleston nog niet dood bij gevonden hadden willen worden. Sterker nog, Juliette hoefde hier niet, zoals thuis, op straat opzij te gaan voor iedereen met een lichtere huidskleur dan zij – ze gingen in Monster juist opzij voor háár, de mannen eerbiedig tikkend aan hun pet. Ze had zelfs blanke bedienden – om precies te zijn vier dienstbodes, een tuinman en een koetsier.

Nee, voor haar leven en dat van haar kinderen hoefde Juliette in deze nieuwe wereld duidelijk niet te vrezen. De inwoners van Monster bekeken hen niet in het minst vijandig – hoogstens nieuwsgierig, als een troepje veelkleurige tropische vogels dat door een vroege voorjaarsstorm over de duinen was gewaaid en tussen de mussen terecht was gekomen. Maar voor die afwezigheid van angst betaalde de nieuwe mevrouw van Geerbron een hoge prijs: heimwee en hartzeer.

Heimwee naar alles waarmee ze was opgegroeid en waarmee ze alleen nog verbonden was via de zee – al klotsten de golven hier niet loom tegen de oesterbanken rond White Point, zoals thuis, maar brulden ze bij stormachtig weer vervaarlijk achter de duinen. En hartzeer omdat de man die ze uit liefde naar de andere kant van de wereld was gevolgd haar nu weer vaker dan ooit moest verlaten.

*

Terwijl Juliette probeerde te wennen aan de Hollandse winter, kwam op 26 februari 1835 in Charleston een groep jonge, succesvolle zakenmensen bij elkaar. Onder de klinkende namen op de presentielijst prijkten ook die van Leon Herckenrath en Charles Lowndes. Het initiatief voor de bijeenkomst was genomen door Charles' zwager William Aiken, de schatrijke erfgenaam van de oprichter van de South Carolina Canal and Railroad Company en een van de grootste slavenhouders van de staat. Het was in deze sombere tijden, zo betoogde hij, tijd voor een tegengebaar – iets nieuws, iets vrolijks.

En omdat dit Charleston was en Charleston nu eenmaal verzot was op toneel, kon dat, zo besloot de vergadering, het best in de vorm van een nieuw theater, dat qua grandeur en grootte zijn gelijke op het Amerikaanse continent niet kende. Aan het eind van de bijeenkomst hadden alle aanwezigen, inclusief Leon, gul ingelegd en werd groen licht gegeven voor de koop van een geschikte kavel aan Meeting Street en de bouw van het maar liefst 1200 zitplaatsen tellende Charleston New Theatre.

Enkele maanden later bevestigden krantenberichten dat Leon nog gewoon in Charleston woonde. President Andrew Jackson had hem naast zijn drie bestaande consulaten nu ook dat van het onlangs als zelfstandig land erkende

Duitse hertogdom Mecklenburg toegekend. Het kantoor van Herckenrath & Lowndes aan de inmiddels tot Hamilton & Co. Wharf omgedoopte kade draaide op volle toeren. De partners investeerden ook in onroerend goed en kochten onder meer woonblokken met huurhuizen en pakhuizen in Stolls Alley.

Misschien viel het Leons collega's aan East Bay op dat hij een opgeluchte indruk maakte of dat hij opeens heel vaak voor familieaangelegenheden naar Holland moest. Maar voor hen was en bleef hij nog altijd dezelfde hardwerkende en betrouwbare zakenman, die er om wat voor reden dan ook voor koos om vrijgezel te blijven.

In Nederland deed Leon ondertussen nog een andere onroerendgoedtransactie, namelijk de koop van Geerbron, dat hij op 29 augustus 1835 van zijn moeder overnam. Volgens de akte was de nieuwe eigenaar slechts 'gelogeerd' op het landgoed. Alida bleef er inderdaad gewoon wonen, samen met haar nieuwe schoondochter en haar gezin. Wel nam Leon deze herfst de taak van gemeentesecretaris van Monster op zich en gaf hij aan het eind van het jaar zijn positie als consul voor North en South Carolina op.

Volgens allerlei passagierslijsten reisde Leon na de vlucht van zijn gezin voortdurend heen en weer tussen zijn oude en zijn nieuwe vaderland, in de kennelijke hoop op een gegeven moment genoeg geld verdiend te hebben om zich definitief in Nederland terug te kunnen trekken. Op 10 mei 1837 echter stortten de koersen op Wall Street van de ene op de andere dag in als gevolg van ongebreidelde speculatie door banken. *The Panic of 1837* markeerde het begin van de eerste serieuze economische depressie in de geschiedenis van de jonge Verenigde Staten, en voor Herckenrath & Lowndes was het alle hens aan dek om de zaak overeind te houden. Dat betekende voor Leon dat een definitieve terugkeer naar Nederland voorlopig niet aan de orde was.

*

Terwijl haar man de wereldzeeën bevoer om dollars bij elkaar te verdienen, veranderde Juliette haar grote zeventiende-eeuwse huis aan de Heerenstraat in Monster in een eilandje vol Charlestoniaanse kleurigheid, gezelligheid en luxe. De grootste kamer, die 'de zaal' werd genoemd en ramen had aan zowel de straatkant als de tuin, werd in vrolijk rood gedecoreerd en kreeg een zesoctaafs fortepiano. Overal in huis kwamen elegante mahoniehouten meubelen die Leon vanuit Amerika meenam, zoals ladekasten, een schommelstoel en een toilettafel. De laatste twee waren speciaal voor de vrouw des huizes.

De wijnkelders van Geerbron werden volgestouwd met de duurste wijnen en champagnes. In de kasten stapelden grote hoeveelheden Chinees en Japans porselein, kristal en zilveren bestek zich op, bestemd voor de etentjes en feestjes die Juliette, als echte Charlestoniaanse een geboren gastvrouw, zo graag organiseerde. Voor rijtoertjes met hun gasten stonden in het koetshuis onder meer een prachtig span zwarte paarden, een vigilante, twee barouchetten en een 'Amerikaans' rijtuig klaar.

Aan de muren van de ontvangstvertrekken groeide in de loop der jaren een indrukwekkende schilderijenverzameling. Het middelpunt werd gevormd door twee portretten van de hand van de populaire hofschilder Jan Willem Pieneman, die Leon in 1836 had laten schilderen voor zijn moeder bij wijze van dank voor alles wat zij voor hem en zijn gezin deed. Op het ene portret stond Alida – 'zoo schoon en goed gelijkend ... uitgevallen', zoals Treesjes vader aan zijn dochter schreef. Achter de oude dame was de kerktoren van Monster te zien, met daarvoor in een prieeltje haar donkerhuidige schoondochter omringd door de kinderen. Het tweede portret toonde Leon zelf, met in zijn handen het schrijfgerei dat zo essentieel was voor zijn leven als internationaal zakenman. Later schilderde Pienemans zoon Nicolaas ook de portretten van Juliette, de twee oudste dochters en zoon Gerard.

Meteen na de koop van zijn ouderlijk huis had Leon een leslokaal laten inrichten en een gouvernante aangesteld om de Herckenrath-kinderen samen met hun neven en nichten Van der Meer van Kuffeler te onderwijzen. Ze hadden de beschikking over een uitgebreide bibliotheek, bestaande uit boeken in de Franse, Duitse, Engelse en Nederlandse taal en de Latijnse en Griekse klassieken. Behalve met het burgemeestersgezin gingen de bewoners van Geerbron ook intensief om met dat van Leons jeugdvriend Jacobus de Fremery, die notaris was te 's-Gravenzande en daar op de buitenplaats Ouwendijk woonde. Leons vrijgezelle oom Frans was zo'n populaire bezoeker op Geerbron dat hij zijn eigen portret kreeg in de schilderijencollectie. Hij vermaakte de kinderen met kleurrijke verhalen over de maar liefst achtendertig veldslagen waarin hij gedurende zijn lange militaire carrière had meegevochten.

Alleen Amerikaanse vrienden en kennissen kwamen niet op Geerbron – hoe warm Juliette ze daar ongetwijfeld ook verwelkomd zou hebben. Was er al eens een zakenrelatie van Leon in Amsterdam, dan huurde hij daar kamers en deed hij alsof hij daar op zichzelf woonde. Ook Juliettes moeder en broers schitterden noodgedwongen door afwezigheid, al lukte het Leon wel om hen op 6 november 1837 te kopen uit de erfenis van wijlen James Magnan. Hij betaalde in totaal 1500 dollar voor zijn zwarte schoonfamilie:

Weet, alle mannen hier aanwezig, dat ik, Thomas Joseph Roger, als beheerder van de nalatenschap van James de Magnan en als gevolmachtigde van voornoemde nalatenschap, in overweging nemende de ontvangst van de somma van vijftienhonderd dol-

lar, contant aan mij betaald, tijdens en voor het verzegelen en
deponeren van dit document door Leon Herckenrath, waarvan
ik bij dezen de ontvangst bevestig, dat ik heb bedongen en verkocht, en overeenkomstig dit document, beding, verkoop en
overdraag aan voornoemde Leon Herckenrath:

Een negervrouw genaamd Josephine, 45 jaar oud

Een negerjongen, haar zoon Henry, 18 jaar oud

Een negerjongen, haar zoon James, 11 jaar oud

Als gevolg van de veranderde wetten kon Leon Josephine
en haar zonen niet meer hun vrijheid geven. Meenemen
naar Nederland kon hij ze evenmin. Waarschijnlijk bleven
ze wonen in het huis aan Magazine Street, waar Leon volgens de volkstelling van 1840 aan het hoofd stond van een
huishouden met vijf mannelijke en drie vrouwelijke slaven.

*

Op 15 juni 1839 deed Leon een aankoop die doet vermoeden dat hij de hoop om ooit met Juliette en hun kinderen
naar Charleston terug te kunnen keren nog niet helemaal
had opgegeven. Samen met zijn voor deze gelegenheid uit
Amsterdam overgekomen broer August kocht hij een stenen herenhuis van drie verdiepingen aan East Bay Street,
het duurste en meest prestigieuze adres van de stad. De
nieuwe woning grensde aan het kolossale stadspaleis dat
Charles Lowndes drie jaar eerder voor zichzelf en zijn gezin had gekocht.

Datzelfde jaar liet Leon zich herbenoemen als Nederlandse consul voor North en South Carolina, '*to reside in
Charleston*', zoals uitdrukkelijk in de bekendmaking vermeld
stond. Charles Lowndes nam het consulschap voor het hertogdom Oldenburg over. Uit correspondenties van deze jaren blijkt hoe diep Leon inmiddels was doorgedrongen tot
de machthebbende elite in South Carolina en hoe onvoor-

waardelijk hij werd vertrouwd. Zo vroeg Franklin Elmore, president van de Bank of the State of South Carolina, Leon in 1840 om in het diepste geheim een tussenpersoon in Londen te zoeken om onopgemerkt de tijdens de recessie verkochte staatsobligaties terug te kunnen kopen.

Leon betoonde zich in zijn brieven merkbaar '*pleased*' en '*flattered*' met de hem toevertrouwde opdracht. Hij vond een geschikte partner in de persoon van de eigenaar van het toonaangevende Londense kantoor Hambro & Son. De woorden waarmee hij hem aanprees zijn veelzeggend over hoe hij zichzelf als zakenman zag:

> Hij behoort, als ik dat zo mag uitdrukken, tot de 'goede Nederlandse school': hij is bereid al het vertrouwen in je te stellen dat je je kunt wensen, maar tegelijkertijd is hij zeer rechtlijnig in zijn handelwijze, en ik twijfel er niet aan dat naarmate jullie elkaar beter leren kennen, ik veel vreugde zal putten uit de relatie die ik hiermee heb geïnitieerd.

Het was tegen deze tijd wel duidelijk dat Leon, in de kracht van zijn leven en op het toppunt van zijn vermogens, voorlopig nog niet in Monster met pensioen zou gaan. De liefde leed daar echter niet onder – en Juliettes vruchtbaarheid evenmin. Want wat de vooruitgang ook had gebracht aan opwindende uitvindingen en modern comfort, een betrouwbare vorm van geboortebeperking was daar nog altijd niet bij. Misschien was Leon maar enkele maanden per jaar op Geerbron, maar bijna iedere keer liet hij zijn vrouw weer zwanger achter.

Hun eerste Nederlandse kind kregen Leon en Juliette in de zomer van 1838. Ze werd Johanna genoemd. In april 1840 volgde zoon August, vernoemd naar Leons een-na-oudste broer. In maart 1842 kwam er weer een dochter bij, die naar Juliettes moeder Josephina werd vernoemd, en in september 1843 volgde de derde zoon, die de naam van Leons oudste broer Louis kreeg.

*

Juliette leidde nu in alles het equivalent van het leven dat ze in Charleston als vrouw van een rijk en succesvol man zou hebben gehad. Ze droeg prachtige kleren en had eigen bedienden, reisde met haar man naar Parijs en Londen en was bevriend met de aanzienlijkste families van de streek. Afgaande op de sporen die ze in archieven achterliet, lijkt ze in Leons afwezigheid ook steeds zelfstandiger te zijn geworden. Zo deed ze in augustus 1838 samen met haar veertienjarige dochter Virginie en nicht Treesje de heilige communie in de Sint-Bartholomeuskerk in Poeldijk. Op 20 januari 1839, kort nadat een grote stadsbrand hun oude kerk St. Mary's in Charleston en daarmee hun eerdere huwelijkscontract in de as had gelegd, liet ze bij een notaris in het nabijgelegen Naaldwijk haar testament opmaken. Volgens dit document had Leon een privékapitaal van meer dan tachtigduizend gulden op haar naam gezet, dat ze in gelijke delen naliet aan haar man en kinderen. Ze ondertekende het testament elegant en zelfverzekerd als 'Juliette Louise McCormick de Magnan'. Haar slavennamen waren eretitels geworden.

Het verlegen slavenmeisje uit Charleston had zich ontpopt als een dame van adellijke allure, bewonderd om haar schoonheid en geliefd om haar zachte karakter en gastvrijheid. Maar de hele familie besefte dat ze nog altijd het allergelukkigst was als ze haar vliegende Hollander na een overzeese reis weer in haar armen kon sluiten. Zoals Treesjes vader in afwachting van zo'n gelegenheid schreef: 'Hoe zulks de lieve tante Juliette verheugen zal!'

8 De zwarte Herckenraths

1844 was een echt rampjaar, zowel voor Nederland als voor het gezin van Leon en Juliette. Het verarmde Hollandse laagland werd geteisterd door dodelijke epidemieën en in de grote steden waren stakingen en hongerrellen aan de orde van de dag. Ook het gelukkige huishouden op Geerbron ontsnapte niet aan wat een krant omschreef als de 'zware en aanstekende koortsen' die als boze geesten rondwaarden en vooral slachtoffers maakten onder kinderen en ouderen. Op 31 maart overleed de tweejarige Josephina, acht dagen later gevolgd door de vierjarige August. Op 23 december stierf ook Leons drieëntachtigjarige moeder.

Voor negentiende-eeuwers was de dood een vertrouwde metgezel – de gemiddelde levensverwachting schommelde rond de vijftig en de kindersterfte was enorm, vooral onder zuigelingen. Maar dat maakte het verdriet en gemis niet minder, en zeker niet als het, zoals in dit geval, ging om kinderen die hun cruciale eerste jaar al hadden overleefd. Ook de dood van Leons schijnbaar onverwoestbare moeder, die de exotische Juliette als een eigen dochter op Geerbron had verwelkomd en bijgestaan, was een zware slag.

Leons broer Louis zette in Amsterdam een grootscheepse inzamelingsactie op touw voor de vele door ziekte getroffen gezinnen in Monster, zoals in het hele land gegoede burgers zich beijverden om iets te doen aan de schrijnende omstandigheden in de arbeidersbuurten. Maar tegen de golf van ellende die nu over Nederland spoelde was bijna niet op te collecteren, zeker niet toen het jaar daarop een schimmelziekte de aardappeloogst in grote delen van Europa deed mislukken. Grootschalige hongersnood was het gevolg. Met duizenden tegelijk trokken wanhopige landverhuizers uit landen als Nederland en Ierland naar Amerika, op zoek naar een leven waarin zij en hun geliefden niet van de honger zouden hoeven creperen.

Getuige bewaard gebleven berekeningen en tekeningen ondernam Leon verwoede pogingen om de emigranten-stroom die zich als vanzelfsprekend op de industriesteden in het Noorden van de Verenigde Staten richtte, om te buigen naar de zuidelijke staten. Zijn plan bestond uit de bouw van vier schepen, die gezamenlijk een rechtstreekse lijndienst met Charleston zouden onderhouden. Op de heenreis zou-den ze emigranten en stukgoed vervoeren, op de terugreis katoen. Niet alleen zou deze verbinding een uitkomst zijn voor behoeftige Nederlanders op zoek naar een betere toe-komst, ook zou een gestage aanvoer van goedkope blanke werkkrachten het zuiden van Amerika minder afhankelijk kunnen maken van de slavernij en dus een bijdrage kunnen leveren aan een vreedzame oplossing voor het almaar door-ziekende conflict erover.

De blanke elite in de zuidelijke staten verkoos name-lijk nog altijd doof en blind te blijven voor alles wat de be-staande orde bedreigde. De gezusters Grimké, die in 1839 met het abolitionistische pamflet *American Slavery As It Is* een felle aanklacht publiceerden tegen de slavernij waar-mee ze waren opgegroeid, werden als verraders beschouwd en gedwongen Charleston te ontvluchten. Liever bleef de stad doordansen op de vulkaan, met feesten die grootser en weelderiger waren dan ooit – '*the handsomest ball I have ever seen*', aldus een gast na een bal ten huize van de in 1844 tot gouverneur benoemde William Aiken en zijn vrouw Harriet Lowndes Aiken.

Maar onder de dansvloeren kraakten de fundamenten, achter hun hand fluisterden de gasten over mogelijke sla-venopstanden en onder alle vertoon van vrolijkheid school angst.

Bij cognac en sigaren werd overlegd over weer nieuwe wetten die de zwarte medemens eronder moesten houden. Sommige daarvan waren zo absurd dat ze lachwekkend waren geweest als de represailles niet zo barbaars waren. Zo verordonneerde het stadsbestuur van Charleston in 1844 dat:

Als een neger of kleurling zich waar dan ook in de stad schuldig maakt aan schreeuwen of hallo roepen, of aan het maken van hard geluid, of aan het hardop zingen van een ongepast lied, zal hij of zij voor elke van deze afzonderlijke overtredingen in het Work House of op de Public Market een aantal zweepslagen krijgen, ten hoogste twintig, wat door iedere stadswachter bepaald mag worden.

Nog altijd werden er dagelijks mensen verkocht op de openbare slavenmarkten aan East Bay. Nog altijd knalden de zwepen in het Sugar House aan Magazine Street over de ruggen van de ongelukkigen die de tredmolen in beweging moesten houden. En nog altijd werden de advertenties van Herckenrath & Lowndes in *The Charleston Courier* (voor onder meer partijen Zweeds ijzer, Duitse steensoorten, vijftig dozijn wijnglazen, sigaren, bordeaux, cognac en superieure gin, *directly from Holland*) omzoomd door annonces die juist in hun alledaagsheid zo schokkend waren:

'2 slimme, intelligente, knappe mulattenmeisjes, 13 en 14 jaar oud.'
'Negers gezocht van.12 tot 25 jaar oud.'
'Een mannelijke slaaf, 40 jr. oud, altijd op een plantage gewoond – hij zal voor een koopje van de hand worden gedaan.'

Ook waren er bijna dagelijks advertenties van een New Yorkse advocaat die zichzelf aanprees in de *Courier* als dé man die slaven die naar het Noorden gevlucht waren kon opsporen en aan hun rechtmatige eigenaar terugbezorgen.

Uiteindelijk lukte het Leon niet om de benodigde miljoen gulden voor zijn lijnverbinding met Charleston bij elkaar te krijgen. Op 30 maart 1846 schreef hij gelaten aan zijn compagnon dat het bijna onmogelijk was om in Nederland investeerders te vinden – als mensen al geld hadden, dan stopten ze het liever in wat hij de 'spoorwegmanie' noemde of in de handel in Javaanse rijst.

Ondertussen maakte de staat South Carolina extra budget vrij voor de aankoop van wapens. Somber voorspelde senator Robert Woodward Barnwell in een brief: 'Onze instituties zijn ten dode opgeschreven en de zuidelijke beschaving zal in bloed ten onder gaan.'

*

Op 11 maart 1846 vond er op een met familie en vrienden afgeladen Geerbron een wel heel bijzonder huwelijksfeest plaats. Tenslotte waren de bruid en bruidegom al behoorlijk op leeftijd om elkaar nog eeuwige trouw te beloven, en daarbij werden ze vergezeld door maar liefst negen kinderen, in leeftijd variërend van eenentwintig jaar tot drie maanden. Eindelijk was het moment gekomen dat Leon en Juliette hun nu al drieëntwintig jaar durende liefdesgeschiedenis openlijk konden bekronen met het wettige huwelijk dat in Charleston nooit mogelijk was geweest.

Dat deze verbintenis in Nederland juridisch wel werd geaccepteerd, had weinig te maken met een grootmoediger inborst van zijn inwoners of een inherent liberalere mentaliteit waar het de slavernij betrof. De slaven in Suriname zouden immers pas in 1863 hun vrijheid krijgen. De betoonde tolerantie was vooral het gevolg van het feit dat er in Nederland zelf zo goed als geen gekleurde mensen leefden. Het is tenslotte een stuk gemakkelijker om ruimdenkend te zijn als iets op geen enkele manier een bedreiging vormt.

Als getuigen bij het burgerlijk huwelijk in Monster traden Leons vriend Jacobus de Fremery en zijn broers Louis en August op. Uit verschillende brieven en dagboeken blijkt dat de 'zwarte Herckenraths', zoals het gezin op Geerbron gemakshalve werd aangeduid, een geliefd onderdeel waren van de grote en nog altijd uiterst hechte Herckenrath-clan. Louis was inmiddels vader van twaalf kinderen en August van vijftien, maar de twee broers zagen elkaar nog steeds iedere dag. Om een uur of vijf plachten ze elkaar te ontmoeten in hun Amsterdamse herensociëteit om gezamenlijk de kranten door te nemen, alvorens weer op huis aan te gaan.

Een jaar na de bruiloft was het alweer feest op Geerbron, en opnieuw ging het om een gebeurtenis die in Charleston volstrekt ondenkbaar was geweest. Op 16 maart 1847 werd Leon in de voetsporen van zijn vader en zijn zwager benoemd tot burgemeester van Monster. Dat betekende dat de ooit als rechteloos slavenmeisje ter wereld gekomen Juliette zich nu burgemeestersvrouw kon noemen. Een paar weken later verloofde hun oudste dochter, de tweeëntwintigjarige Virginie, zich met Jacobus junior, de oudste zoon van Jacobus de Fremery.

'Ko', zoals de schoonzoon in spe in familiekring werd genoemd, vertrok meteen hierna naar New York, waar hij als loopjongen aan de slag ging bij Leons internationale wijnhandel op de hoek van William en Stone Street.

De door zijn burgemeesterschap meer dan ooit aan Monster verbonden Leon bouwde zijn Amerikaanse activiteiten in deze periode juist steeds meer af. Hij verkocht zijn huis aan East Bay aan Charles Lowndes. Die was bezig een verzekeringsmaatschappij op te zetten en zou zich op termijn helemaal terugtrekken uit de dagelijkse leiding van de firma. Daarom kwam er een nieuwe partner, in de gedaante van de tweeëndertigjarige Thomas Wragg, die op 15 januari 1848 de functie van Nederlands consul voor North en South Carolina van Leon overnam.

Noch in de slavenregisters, noch in de volkstelling stond Leon vanaf 1850 nog als inwoner vermeld. In de *City Directory* stond nu bij zijn naam: '*Herckenrath, residence Amsterdam Holland*'. Juliette had haar man eindelijk thuis gekregen.

*

Op 1 augustus 1851 slaagde Gerard, de oudste zoon van Leon en Juliette, voor zijn eindexamen aan het gymnasium in Den Haag – alweer iets wat alleen maar mogelijk was omdat zijn ouders jaren eerder de moed hadden gehad om hem met gevaar voor eigen leven naar Nederland te smokkelen. Enkele maanden later deed hij in een lofdicht getiteld 'Herinnering aan de laatste zomerdagen van 1851 te Geerbron' uitgebreid verslag van deze feestelijke dag en de zomervakantie die erop volgde.

Het gedicht was een afscheidscadeau voor zijn zus Virginie, die zich kort daarop bij haar verloofde in Amerika zou voegen. Ko woonde inmiddels in het verre San Francisco, aan de westkust, waar hij in 1849 per schip en muilezel naartoe was gereisd zodra hij hoorde dat er goud gevonden was.

Met voelbaar plezier beschreef Gerard hoe hij samen met zijn beste vriend Florent van Ghert met een beurtschip naar Delft voer en van daaruit per rijtuig naar het ouderlijk huis ging om zijn ouders met het goede nieuws te verrassen. Zijn moeder organiseerde meteen een feest en zijn vader schonk hem als examencadeau een korte vakantie bij zijn oom Frans, die inmiddels op de meest eervolle wijze uit de actieve militaire dienst was ontslagen en nu garnizoenscommandant van Venlo was.

De daaropvolgende weken waren een aaneenschakeling van feesten, jachtpartijen, wandelingen en uitstapjes naar onder meer de plaatselijke kermis. Onder de vele bezoekers waren leden van de familie De Fremery, oom Frans, oom Louis en twee zusjes uit Amsterdam, wier oudere broer net als Ko de Fremery naar Amerika was gegaan om daar fortuin te maken. Overdag wandelde het gezelschap in de duinen en werd er gevist of gejaagd op fazanten en konijnen. 's Avonds werd er uitgebreid gegeten en muziek gemaakt. Florent en Gerard konden beiden goed zingen, de laatste speelde ook nog gitaar en zijn zusje Pauline was een begenadigd pianiste. De in Gerards woorden 'dartele vreugd' onder de jongelui werd nog verhoogd doordat er nieuwe liefdes in de lucht hingen – hijzelf zou later met een van de logés uit Amsterdam trouwen en Florent had een oogje op een van de jongere zusjes Herckenrath.

Het motto van Gerards lange ode aan zijn familie luidde: '*Où peut-on être mieux qu'au sein de sa famille?*', oftewel: 'Waar zou je zijn zonder je familie?' Uit zijn lofdicht blijkt inderdaad hoe hecht en vrolijk het gezinsleven van de Herckenraths was. Geerbron was 'recht huis'lijk en aangenaam tevens' – een veilig, kleurrijk eilandje aan de Hollandse kust:

> '*k Ben innig aan heel mijn familie gehecht*
> *Mijn broeders en zusters zijn duurzaam en echt*
> *Gegrift in het hart van hun broeder*
> '*k Heb dikwijls van huis en met vreemden verkeerd,*
> '*k Ben immer met graagte weer thuiswaarts gekeerd,*
> *Bij hen waar 'k het spreken als kind heb geleerd,*
> '*k Was gaarne bij Vader en Moeder!*
> *Wij allen tezamen in 't zoetste genot,*
> *Wij leefden verenigd, verenigd door God.*

Voor Leon en Juliette moeten deze zomerweken een kroon op hun leven zijn geweest. Alle opofferingen en angst, al Ju-

liettes heimwee, de gedwongen scheidingen en de uitputtende zeereizen die Leon had gemaakt om hun ongebrui-
kelijke liefde en hun gezin van een solide basis te voorzien,
waren niet voor niets geweest. Leon bekleedde nu de hoogste functie van het dorp en Juliette had haar draai gevonden
tussen de Nederlandse notabelen. Hun oudste dochter was
verloofd met een telg van een respectabele familie en hun
oudste zoon had net het gymnasium afgerond en zou gaan
studeren. Ook de jongere kinderen waren gezond en flo-
reerden.

Maar dit zou ook de laatste zomer zijn dat ze allemaal bij
elkaar waren.

9 Een kelder in het duin

Jaren eerder, in het rampspoedige 1844, waarin Leon zowel twee jonge kinderen als zijn moeder was verloren, had hij vijf bunder grond gekocht in het duingebied De Grote Geest, op loopafstand van Geerbron, en daar een familiegraf laten aanleggen. Het resultaat was een ruime, vanbinnen met sobere witte tegels beklede kelder, afgesloten met een zware eikenhouten deur. Het lag op een schitterende plaats: tussen het wuivende helmgras, vlak voor de laatste duinenrij die het land van de zee scheidde, met het geluid van de branding altijd op de achtergrond.

Na de oplevering van de grafkelder in 1847 waren de grote kist en de twee kleine kistjes van Leons moeder en haar kleinkinderen van hun tijdelijke rustplaats op het kerkhof van Poeldijk overgebracht naar de eenzaamheid van De Grote Geest. Lang bleef het er niet stil, want een jaar later moest de deur alweer open voor dochter Alida, die in mei 1848 op vijftienjarige leeftijd was overleden. Samen met het kindje dat Leon en Juliette al in Charleston hadden moeten begraven, bracht dat het aantal overleden kinderen op vier. De jaren erna volgden nog drie kisten – twee kleine, voor baby's die Juliette doodgeboren ter wereld had gebracht, en een grotere, met daarin het lichaam van Theodora, de oudste dochter van Leons broer August. Ze was van precies dezelfde leeftijd geweest als Alida en misschien werd ze daarom, liever dan in Amsterdam, naast haar favoriete nichtje begraven.

Toen in 1852 oom Frans op tweeënzeventigjarige leeftijd in Venlo overleed, was het vanzelfsprekend dat ook hij werd bijgezet in de grafkelder, vlak bij het huishouden waar hij zijn hele leven zo welkom was geweest. Daarna waren er enkele jaren geen nieuwe sterfgevallen in de familie te betreuren. Wellicht had dat te maken met het feit dat Nederland in deze jaren eindelijk begon op te krabbelen uit de economische misère, vooral dankzij de opbrengsten van zijn koloniën in Nederlands-Indië.

Op Geerbron ging ondertussen alles zijn vertrouwde gang. Op gezette tijden arriveerden optimistische brieven van Virginie uit San Francisco, waar haar man letterlijk goud verdiende aan de goldrush. Op een dag stuurde ze een heuse foto van zichzelf en haar kersverse echtgenoot mee. Fotografie was een volstrekt nieuw fenomeen dat al snel een rage werd en het levensechte portret van de geliefde oudste dochter moet voor haar familie een klein wonder zijn geweest.

Ook in Charleston was het 'business as usual', al hing de slavernijkwestie nog altijd als een zwarte wolk boven de stad. Nadat Charles Lowndes zich definitief als directeur had teruggetrokken, werd de firma omgedoopt tot Herckenrath, Wragg & Co. Er kwamen twee nieuwe firmanten. De ene, Daniel Lesesne, stamde uit een invloedrijke hugenotenfamilie; de andere, de plantage-eigenaar Alfred Huger senior, was een waar icoon van conservatief Charleston. Hij had in 1835 de landelijke pers gehaald door in zijn functie als postmeester te weigeren abolitionistische tijdschriften te bezorgen. In plaats daarvan had hij er een brandstapel van gemaakt, een voorbeeld dat onder luid gejuich meteen werd nagevolgd in andere zuidelijke staten.

Afgaande op passagiers- en immigratielijsten kwam Leon zelf niet vaak meer in Charleston, al baarde hij daar in april 1853 nog enig opzien door met zijn compagnon Thomas Wragg voor 16 000 dollar het Adam Tunno House aan East Bay Street te kopen. Dit grote, helemaal uit baksteen opgetrokken herenhuis was vernoemd naar de steenrijke Schotse koopman die het aan het eind van de achttiende eeuw had laten bouwen en daar toen nog ongestoord en openlijk met zijn gekleurde minnares had kunnen leven. Klaarblijkelijk had Leon, de eeuwige optimist, nog altijd de hoop niet opgegeven dat een dergelijk leven ooit ook hem en Juliette gegund zou zijn.

*

In de vroege ochtend van 13 april 1856 werd duidelijk dat Juliette nooit in het Adam Tunno House zou wonen en ook niet meer naar huis zou gaan. Ze overleed geheel onverwacht op zesenveertigjarige leeftijd, waarschijnlijk aan de gevolgen van een hersenbloeding, net als zeker twee van haar dochters later zou overkomen. De tekst op haar bidprentje luidde: 'Een rechtvaardig mens, al wordt hij van de dood verrast, zal in ruste zijn' (Wijsheid 4:7).

Het gezin op Geerbron bleef volstrekt ontredderd achter. Zoals Leons neef schreef: *'Wie de liefde van zulk een vrouw genieten mag, moet zich meer dan mens voelen.'* Des te harder moet de klap voor de achterblijvers aangekomen zijn toen deze bron van liefde van het ene op het andere moment verdween. Leon zelf was kennelijk dermate overstuur dat hij niet in staat was om zelf aangifte van het overlijden van zijn vrouw te doen. Die taak werd overgenomen door zijn oudste zoon Gerard en zijn broer Louis, die in allerijl vanuit Amsterdam waren overgekomen. Enkele dagen later bracht hij de liefde van zijn leven naar de grafkelder in de duinen, waar haar kist tussen die van zijn moeder en hun eerder overleden kinderen werd geplaatst.

Ten tijde van de dood van hun moeder was de jongste zoon Theo nog maar elf en de kleine Emma negen jaar oud. De kinderen hadden hun vader hard nodig, en voor Leon lijkt zijn abrupte weduwnaarschap dan ook een definitief afscheid betekend te hebben van Charleston, de stad die hem zoveel had gegeven maar hem ook zoveel had aangedaan.

Voor zover bekend heeft hij er na Juliettes dood geen voet meer gezet.

Leons zakelijk imperium bevond zich echter nog altijd in de Verenigde Staten en hoewel hij zijn compagnons in New York en Charleston volgens zijn testament als persoonlijke vrienden beschouwde – er hingen zelfs portretten van hen op Geerbron –, kon hij zijn zaken toch niet helemaal onbeheerd laten. In normale omstandigheden had hij zijn oudste zoon als zaakwaarnemer en opvolger naar Amerika gestuurd. De bijna vijfentwintigjarige Gerard was in alle opzichten geknipt voor die taak: hij was een sociale, makkelijke jongen die zich na zijn studie rechten als advocaat in Amsterdam had gevestigd en getrouwd was met het meisje dat hij in de vrolijke zomer van 1851 het hof had gemaakt.

Maar de omstandigheden waren niet normaal en Gerard was een van de zwarte Herckenraths die het duidelijkst als gemengdbloedig te herkennen waren. Zijn leven lang zou hij zijn huid blanketten en zijn haar ontkroezen. Nog afgezien van het feit dat Leons conservatieve compagnons een gekleurde man nooit ofte nimmer als hun gelijke op hun kantoor zouden tolereren, zou Gerard in Charleston zijn leven niet zeker zijn. Gevreesd en gemeden door de blanke elite en gehaat door de slavenbevolking, waren mulatten als hij in elk denkbaar toekomstscenario het slechtst af.

Leon had dus geen andere keuze dan een jonge Herckenrath te sturen die wél de vereiste huidskleur had, met als bijkomend voordeel dat die dezelfde naam droeg als hijzelf: Leon junior, de eenentwintigjarige oudste zoon van zijn broer Louis. Het werd een faliekante mislukking. Louis' zoon bleek in niets te aarden naar zijn ambitieuze vader of zijn energieke oom. Opgegroeid in de weelde die de voorgaande generatie met bloed, zweet en tranen bij elkaar had gewerkt, waande hij zich een soort prins en wist hij zich zelfs in het wat hedonisme betreft toch wel wat gewende

Charleston binnen de kortste keren volstrekt onmogelijk te maken. Residerend in het stadspaleis aan East Bay dat zijn oom enkele jaren eerder had gekocht, verscheen de 'klerk' slechts op kantoor wanneer het hem beliefde, uitgedost als een dandy en altijd vergezeld door twee enorme wolfhonden.

Gealarmeerd door zijn compagnons haalden Leon en Louis de jongeman al snel terug naar Europa, waar hij de rest van zijn leven zou teren op de vermogens van zijn vader en van diverse echtgenotes. Een soortgelijk experiment met Louis' tweede zoon Walter, die aan het werk werd gezet op het kantoor van de New Yorkse firma, liep ook uit op een deceptie en kwam Leon zelfs op een proces wegens financieel wanbeheer te staan.

Anderhalf jaar na de dood van Juliette, in het najaar van 1857, lieten Leon en Louis zich in Amsterdam voor het eerst van hun leven door een fotograaf vereeuwigen. Op dit portret is Leon bijna onherkenbaar in vergelijking met de vrolijke, zelfverzekerde man die Jan Willem Pieneman twintig jaar eerder in olieverf had vereeuwigd. Hij oogt gekweld en ongelukkig, de lippen stijf op elkaar als om pijn te verbijten.

Ergens rond deze tijd moet duidelijk zijn geworden dat Leon niet alleen leed aan een gebroken hart, maar ook aan een slopende ziekte. En deze keer waren er geen zachte bruine handen om hem te verzorgen en van een wisse dood te redden.

*

Onder alle juridische taal is het testament dat Leon op 18 mei 1858 bij zijn notaris in Naaldwijk liet opmaken een emotioneel document, gedicteerd door een man die er duidelijk alles aan gelegen was om ook na zijn dood zo goed mogelijk voor zijn gezin te zorgen. Om te beginnen verdeelde hij zijn persoonlijke en geliefdste bezittingen onder zijn drie zoons en zes dochters, als 'een blijk van mijn oprechte liefde die ik hun toedraag', zoals hij door de notaris liet vastleggen. Zijn toiletspullen en kleren, zijn zegelring en horloges, zijn schilderijen, gravures en foto's, de uit Amerika meegenomen meubels, zijn geliefde bibliotheek, zijn papieren en sieraden en cadeaus van 'hun lieve moeder' werden met grote zorgvuldigheid over de kinderen verdeeld. Bij dit gedeelte van de erfenis, benadrukte hij, ging het niet om de financiële maar om de emotionele waarde.

Het landgoed Geerbron, de grafkelder en de rest van de persoonlijke erfenis van hem en 'Vrouwe Juliette Louisa McCormick de Magnan', zoals Leon zijn overleden echtgenote aanduidde, liet hij na aan zijn veertienjarige zoon Louis. Het zou in diens bezit komen zodra hij meerderjarig was. De overige kinderen werden hiervoor met geld gecompenseerd. Het idee hierachter was dat de vijf nu nog ongetrouwde zussen en zijn jongere broer Theo zo lang als ze wilden bij Louis in het ouderlijk huis zouden kunnen blijven wonen. In de woorden van hun vader: 'Ik heb geen ander doel voor ogen dan het geluk van mijn kinderen te bevorderen en [Louis] zou met name een steun voor zijn ongehuwde zusters kunnen zijn.'

Vooral voor de nu drieëntwintigjarige Septima was een dergelijke veilige haven hard nodig. Geboren in die allerlaatste, heel angstige maanden in Charleston, en misschien daardoor altijd geestelijk kwetsbaar gebleven, was ze na de onverwachte dood van haar moeder nog veel verder in de war geraakt. Vaak was ze zo onhandelbaar dat ze buitenstaanders, met name haar jongere neefjes, enorme schrik aanjoeg. Zoals de broer van Trees eens schreef na een bezoek aan de familie: 'August en Gerardje durven niet meer op Geerbron te komen sedert Septima 't op haar zenuwen gehad heeft.'

Als executeurs van zijn testament wees Leon zijn oudste zoon en zijn vriend Jacobus de Fremery aan, als bewindvoerder van zijn zes nog minderjarige kinderen een bevriende apotheker te Den Haag. Mocht Geerbron onverhoopt toch ooit verkocht worden, zo bepaalde hij, dan wilde hij onder geen beding dat zijn spullen op een openbare veiling zouden belanden. Ze zouden dan gelijkelijk verdeeld moeten worden onder de kinderen, net als de rest van de erfenis. Die bestond behalve uit banktegoeden en aandelen vooral uit tientallen schuldbekentenissen – allemaal renteloze leningen die de gulle Leon in slechtere tijden had verstrekt aan dorpsgenoten en vrienden in nood. De afhandeling en afrekening van zijn zakelijk fortuin in Amerika vertrouwde hij toe aan zijn compagnons in New York en Charleston.

Thomas Wragg zou, hoewel een stuk jonger dan Leon, nooit de kans krijgen om die vriendendienst in te lossen. Hij overleed op 11 januari 1859, nauwelijks acht maanden na de ondertekening van het testament. Als gevolg hiervan werd de firma ontbonden en werd ze voortgezet als Herckenrath, Lesesne & Huger, met als adres Leons huis aan East Bay. Overigens werden hier in deze jaren geen slaven meer op straat verkocht. Na een stortvloed van klachten van bezoekers aan de stad had het bestuur de slavenmarkt verplaatst naar een afgesloten gebouw.

Maar dat was dan ook de enige concessie waartoe Charleston bereid was gebleken. De roep om afscheiding van de Verenigde Staten klonk luider dan ooit, zeker nadat de noordelijke staten in 1858 overeenkwamen dat slavernij op het Amerikaanse continent afgeschaft diende te worden. De federale regering in Washington had al te kennen gegeven een dergelijke desertie nooit te zullen accepteren; iedere poging in die richting zou onvermijdelijk uitlopen op een burgeroorlog.

In de zomer van 1860 vond er nog een huwelijk plaats op Geerbron. In het bijzijn van haar inmiddels ernstig zieke vader trouwde de eenentwintigjarige Johanna met Florent van Ghert, de beste vriend van haar oudste broer. In Amsterdam en San Francisco werden dat najaar Leons eerste kleinkinderen geboren.

In november werd Abraham Lincoln, die zich publiekelijk tegen de slavernij had verklaard, gekozen als kandidaat van de Republikeinse Partij voor de aanstaande presidentsverkiezingen. Uit protest scheidde South Carolina zich als eerste staat formeel af van de Verenigde Staten. Kort daarop volgden Mississippi, Florida, Alabama, Georgia, Louisiana en Texas. Gezamenlijk vormden ze een nieuwe unie, The Confederate States of America. Als reactie werd Fort Sumter, een versterkt eiland vier mijl voor de kust van Charleston, door federale troepen bezet.

Zo gingen ze het jaar 1861 in, de man en de stad. Leon aan de ene kant van de wereld, Charleston aan de andere. Allebei vechtend voor hun leven, allebei gedoemd die strijd te verliezen.

10 Tomorrow is another day

'*Fire!*'

Het eerste kanonschot op Fort Sumter werd afgevuurd om halfvijf in de ochtend van 12 april 1861. Meer dan veertig kanonnen namen vanuit de haven van Charleston het federale garnizoen op het eiland twee dagen lang onafgebroken onder vuur. De kanonniers werden toegejuicht en aangemoedigd door de inwoners van de stad, die zich hadden verzameld op de piazza's en daken van de huizen aan East Bay. Onder hen waren ook Charles Lowndes en zijn familie, die vanuit hun grote huis op nummer 51 een perfect uitzicht hadden op de vijandelijkheden.

Nu de gedurende decennia opgebouwde spanning eindelijk tot een uitbarsting was gekomen, voelde oorlog even heel feestelijk. En de Charlestonianen waren zichzelf niet geweest als ze dat onder het geluid van de beschietingen niet uitbundig hadden gevierd. Schrijfster Mary Boykin Chesnut beschreef in haar dagboek de avond van de 12de april:

> [Het was] het vrolijkste, meest dwaze diner dat we tot nu toe hebben meegemaakt. Mannen waren *outrageously wise and witty*. We hadden het onuitgesproken gevoel dat dit ons laatste aangename samenzijn zou zijn.

Een maand eerder had president Lincoln nog geprobeerd de wankele vrede te bewaren door zich in zijn inauguratiespeech uitdrukkelijk tot de rebellerende staten te richten:

> Het is niet mijn doel mij direct of indirect te bemoeien met het instituut van de slavernij in de Verenigde Staten, zoals dat daar

bestaat. Naar mijn mening bezit ik daartoe niet het recht en ik voel er geen aandrang toe.

Maar na dat eerste schot op Fort Sumter was er geen weg meer terug.

Op 14 april streek de federale bevelvoerder de Union Jack ten teken van overgave. Triomferend hesen confederale soldaten hun eigen vlag, de Bonnie Blue. Dit dundoek bestond uit twee brede rode strepen en één witte, en een donkerblauw vierkant met daarin zeven sterren: één voor iedere staat die zich had aangesloten bij de opstand tegen Washington.

Onder alle machtsvertoon en stoere taal rekende de Confederatie er ondertussen op dat de Europese mogendheden zo afhankelijk waren van hun exclusieve '*Sea Island cotton*' dat ze snel in het conflict zouden gaan bemiddelen. Geen enkel land maakte echter aanstalten tussenbeide te komen in wat als een binnenlandse kwestie werd beschouwd. En geen enkel land erkende de Confederatie als een zelfstandige natie.

Dus het was oorlog, en het bleef oorlog.

*

Terwijl die zomer in Charleston de verhitte opwinding van dat eerste schot langzaam plaatsmaakte voor de koude realiteit van een burgeroorlog, kromp in Monster het leven van Leon Herckenrath achtereenvolgens ineen tot zijn huis, zijn slaapkamer, zijn lichaam en uiteindelijk ook dat niet meer.

In februari had hij nog meegmaakt dat zijn dochter Johanna op Geerbron haar eerste kind kreeg; in juni, inmiddels ernstig verzwakt, was hij getuige van het huwelijk van zijn een-na-oudste dochter, 'de olijke Adele', met André de Fremery, een neef van haar zwager. Maar op 12 september 1861 om halftwee in de middag moest Leon het gezin waar zijn leven om had gedraaid loslaten – na een sterfbed dat hem afgaande op de tekst op zijn bidprentje op geen enkele manier had gespaard:

Het einde mijns levens heb ik in grote pijn doorgebracht en toen ik het doorstaan had was het graf mijn woonplaats.

Schoonzonen André en Florent deden aangifte van het overlijden. Enkele dagen later werd Leon Herckenrath bijgezet in de grafkelder die hij zelf had laten bouwen. Zijn favoriete span zwarte paarden bracht hem van de Heerenstraat via de Achterweg naar zijn laatste rustplaats. Het hele dorp was uitgelopen om hun populaire oud-burgemeester en de heer van Geerbron uitgeleide te doen. De belangstelling was zo groot dat er politieagenten ingezet moesten worden om alles ordentelijk te laten verlopen. Aan het eind van de avond bleef Leon achter in het donkere, stille duin tussen zijn moeder en zijn geliefde Juliette.

Leon had zijn laatste gevecht gestreden, maar in zijn geadopteerde vaderland begon de strijd op dat moment nog maar net. Aan het eind van dat jaar bevochten bijna een miljoen jonge Amerikanen elkaar op leven en dood langs een 1200 mijl lange frontlinie van Virginia naar Missouri. Onder de soldaten aan beide zijden bevonden zich veel jongens die Leon hun hele leven had gekend, zoals Rawlins, de enige, nu drieëntwintigjarige zoon van Charles Lowndes, die zich enthousiast had gemeld om de Confederatie met zijn leven te verdedigen.

Op 11 december legde een enorme brand grote delen van de binnenstad van Charleston in de as. Als altijd kreeg de zwarte bevolking de schuld. De huizen van Charles en Leon aan East Bay bleven gespaard, maar van het imposante nieuwe theater aan Meeting Street dat zij en hun vrienden zesentwintig jaar eerder hadden opgericht, resteerden na afloop van de bluswerkzaamheden weinig meer dan rokende puinhopen.

Ook het woonhuis van Leons compagnon Alfred Huger aan Broad Street viel ten prooi aan het woedende vuur. Het verhaal ging dat de oude postmeester zijn favoriete leunstoel naar het midden van de straat had gesleept zodra de vlammen zijn huis bereikten. Daar was hij urenlang blijven zitten, stoïcijns toekijkend hoe het huis krakend en brandend ten onder ging.

*

Zou Charleston inderdaad een vrouw zijn geweest, dan was er vier jaar later geen schim meer over van het prachtige, zelfverzekerde wezen dat Leon als jongeman had leren kennen. Gebutst en verbrand was ze, gewond en onteerd, verhongerd en vernederd. Na een maar liefst 587 dagen durende belegering hadden de noordelijke troepen de hooghartige stad aan het begin van 1865 eindelijk op haar knieën gedwongen. Rawlins Lowndes, die inmiddels tot kapitein was bevorderd, kreeg de taak te paard met een witte vlag naar het federale hoofdkwartier in Morrisville, North Carolina, te gaan om de capitulatie van zijn stad en de Confederatie aan te bieden.

Na een laatste oorlogsnacht vol horror en chaos, begeleid door oorverdovende explosies van tot ontploffing gebracht wapentuig, werd in de ochtend van 18 februari 1865 de Union Jack weer gehesen op Fort Sumter. Van de 'Cradle of the Segregation', de bakermat van de afscheiding, zoals Charleston zich aan het begin van de burgeroorlog nog trots had genoemd, was toen al niet veel meer over dan een spookoord vol ruïnes – stelselmatig geplunderd door losgeslagen soldaten en voormalige slaven; misbruikt door zwarthandelaren die fortuinen verdienden aan de hongerende bevolking.

De burgeroorlog was de dodelijkste oorlog in de Amerikaanse geschiedenis. Meer dan 700 000 mensen kwamen om. Van de soldaten uit de noordelijke staten kwam 10 procent niet meer thuis, in de zuidelijke staten was dat percentage 30. In zijn grafrede voor het oude Zuiden schreef historicus C. Vann Woodward:

> Een grootse slavenmaatschappij was ontstaan en had op wonderbaarlijke wijze gefloreerd in het hart van een door en door burgerlijke, deels puriteinse republiek. Ze had haar burgerlijke oorsprong verloochend en daarvoor institutionele, juridische, metafysische en religieuze excuses bedacht en op pijnlijke wijze gerationaliseerd. ... Toen de crisis losbarstte, besloot ze te vechten. Het werd de doodsstrijd van een samenleving die ten onder ging in vernietiging.

Fortuinen waren verdampt, instituties verdwenen en een hele samenleving was op drift geraakt. Alleen al in South Carolina zwierven 400 000 voormalige slaven rond, niet wetend wat te doen met het abstracte begrip vrijheid dat hun na generaties in de schoot was geworpen. Vaak waren hun leefomstandigheden nog slechter dan toen ze slaaf waren. Velen trokken naar het Noorden om werk te zoeken. Of de broers van Juliette – als ze de oorlog al hadden overleefd – deel waren van deze exodus is niet meer te achterhalen. Als zovelen in deze chaotische jaren verdwenen ze zonder een spoor achter te laten.

De voormalige slavenhouders bleven achter tussen de puinhopen van hun verwoeste wereld. Hun plantages vervielen door gebrek aan werkkrachten, hun huizen bleven ongerepareerd omdat er niemand meer was om de schade te herstellen. Verbijsterd schreef een planter:

De totale rijkdom van de staat was weggevaagd, evenals alle scholen die er in 1861 nog waren. Het afpakken van onze slaven maakte onze grond waardeloos. De spoorwegen waren verwoest, de banken waren dicht, fabrieken hadden we niet meer, en de verzekeringsmaatschappijen waren allemaal failliet.

In de jaren die volgden leek het wel of de natuur Charleston nog eens extra wilde laten boeten voor alles wat ze haar zwarte bevolking had aangedaan. De stad werd getroffen door een reeks rampen, die duizenden levens kostte, zoals een zware cycloon in 1885, een aardbeving van 7,5 op de schaal van Richter in 1886 en de Great Charleston Hurricane in 1893.

Met overal half of geheel verwoeste gebouwen oogde de stad nu als een geschonden en goeddeels tandeloos gebit, grijnzend tegen het noodlot. Want dat was het enige wat niemand van Charleston had kunnen afpakken: haar trots.

Misschien hadden de inwoners niet meer de middelen om hun beschadigde huizen te slopen of te repareren, maar het weerhield ze er niet van om met opgeheven hoofd en in stijl door te leven in hun aftakelende *city of ruin*. Zoals men zei: Charlestonianen waren te arm om hun huizen te kunnen verven, maar te arrogant om er witkalk op te smeren.

*

Ook op het ooit zo gelukkige Geerbron zette het verval in, zij het veel sluipender en daardoor misschien nog wel triester. De tweeëndertigjarige Pauline had na de dood van Leon als vanzelfsprekend de dagelijkse verantwoordelijkheid voor haar nog thuiswonende broers en zussen op haar schouders gekregen. Septima was zo radeloos door het verlies van haar vader dat ze onder curatele gesteld moest worden wegens 'zwakheid van vermogens'. In 1865 werd ze voorgoed in een inrichting voor geesteszieken ondergebracht.

Ook jongste zoon Theo vertrok rond deze tijd voorgoed uit Monster. Na zijn studie in Delft ging hij werken voor Rijkswaterstaat in Nederlands-Indië. In 1868 greep Pauline haar laatste kans op ontsnapping aan. Ze trouwde een dertien jaar jongere man en stichtte met hem in Wageningen een eigen gezin. De toen al zwaar depressieve Louis bleef samen met zijn jongste zusje Emma achter in het nu veel te grote en stil geworden huis aan de Heerenstraat.

Tien jaar na de dood van Leon, in 1871, werd Geerbron verkocht. Louis en Emma verhuisden naar Leiden, waar ze de rest van hun leven teerden op de restanten van het Nederlandse deel van het Herckenrath-kapitaal, dat ten tijde van Leons overlijden op 181 000 gulden was getaxeerd. Hoewel zijn testament in 1866 nog wel in Charleston was gedeponeerd, is het onwaarschijnlijk dat zijn erfgenamen ooit een dollar van zijn Amerikaanse fortuin hebben gekregen: alles was meegesleurd in de golf van verwoesting die de stad had getroffen.

En zo raakten de zwarte Herckenraths verstrooid door de westenwind die rond het ouderlijk huis in Monster zo ongenadig tekeer kon gaan. Septima overleed in 1876, eenenveertig jaar oud, in een inrichting in Den Bosch. Ze werd begraven in Rotterdam. Adele stierf elf jaar later in Leiden, twee jaar later gevolgd door haar jongere zus Johanna. Gerard blies in 1892 zijn laatste adem uit in Parijs, na een leven vol min of meer mislukte handelsavonturen. Zijn broer Theo overleed op tweeënzestigjarige leeftijd aan boord van een schip dat op de terugreis was vanuit Indië. Hij kreeg een zeemansgraf in de Middellandse Zee, bij Gibraltar.

Virginie, de oudste dochter, maakte van alle Herckenrath-kinderen misschien nog wel het meest de dromen van haar ouders waar. Zij en haar man bouwden een welvarend leven op in het toen nog wilde cowboyland aan de westkust van de Verenigde Staten. Ko de Fremery stichtte de eerste bank

van de staat en werd een van de rijkste burgers van Californië. De imposante kunstverzameling die het echtpaar bij
elkaar bracht telde ten minste één Rembrandt en verschillende doeken van Van Dyck. Toen Virginie op reis in Zwit-
serland in 1890 onverwacht aan een hersenbloeding overleed, werd ze in de kranten herdacht als een van de grote
societydames van San Francisco.

Ironisch genoeg lijkt deze enige nakomeling van Leon en
Juliette die terugkeerde naar haar geboorteland ook de enige te zijn die gevrijwaard bleef van het racisme dat zo'n rol
in hun aller leven had gespeeld. Van alle Herckenrath-kinderen is alleen Virginie op foto's en portretten te zien als
trotse zwarte vrouw. De foto's van de overige kinderen zijn
allemaal bewerkt, 'opgewit', tot er niets meer van hun ge-
mengdbloedigheid zichtbaar was.

In 1903 ging de zware eikenhouten deur van de grafkelder in Monster voor het eerst sinds het overlijden van
Leon weer open en werd Pauline bij haar ouders bijgezet.
Drie jaar later volgde de kist van Louis en enkele maanden later die van Emma, als laatst overgebleven van de
Herckenrath-kinderen. Datzelfde jaar werd voor het eerst
ook een niet-familielid in de kelder begraven. Mevrouw
Zuiderwijck, de oude baker van Monster, was kennelijk zo
gesteld geweest op Juliette en haar kinderen dat ze besloten
had na haar dood samen met hen de eeuwigheid in te gaan.

*

Aan het begin van de twintigste eeuw was van het glorieuze
landgoed Geerbron zo goed als niets meer over. De broeibakken met glasplaten die in Leons tijd nog als vernieuwend
werden beschouwd, bleken de voorbodes te zijn geweest
van een grootschalige kassenbouw die het ooit zo idyllische
Westland vanaf het midden van de negentiende eeuw steeds
meer overwoekerde. In het kader van de economische ont-

wikkeling werden praktisch alle oude landgoederen van de kaart geveegd. Het enige wat tegenwoordig resteert van Geerbron zijn een paar stukken muur in een non-descripte gevelwand in Monster.

In Charleston gebeurde juist precies het tegenovergestelde. In de jaren dertig ontdekten kunstenaars, schrijvers en jazzmuzikanten de vervallen romantische charme van de voormalige hoofdstad van South Carolina. Culturele klassiekers als de charleston, de kenmerkende dans van de Jazz Age, de opera *Porgy and Bess* en het boek en de film *Gone with the Wind* vormden de opmaat voor een ware zuidelijke renaissance. Het opkomende toerisme bracht vervolgens de dollars binnen om de stad in haar oude glorie te herstellen. Zoals Scarlett O'Hara, de door het leven geslagen maar nog altijd arrogante plantersdochter, al zei aan het eind van *Gone with the Wind*: 'Tomorrow is another day.'

Tegenwoordig is de stad populair bij toeristen en miljonairs, voor wie Charleston weer is wat ze tweehonderd jaar geleden ook was: een van de mooiste en vrolijkste steden van het Amerikaanse continent. Al blijft de verhouding met het verleden ongemakkelijk. Want hoe trots kun je zijn op alle zorgvuldig gerestaureerde pracht en praal in de wetenschap dat die schoonheid is gebouwd op bloed, zweet en tranen van de toenmalige zwarte bevolking?

In juni 2018 maakte het stadsbestuur voor het eerst officieel excuses voor de in het verleden begane misdaden. Ook werd aangekondigd dat in Gadsden's Wharf, ooit de plek waar slavenschepen hun menselijke lading losten, een International African American Museum gevestigd zal worden.

*

Twee eeuwen na de eerste ontmoeting tussen Leon en Juliette is er van hun erfgoed zo goed als niets meer over. Hun fortuin is verdampt, hun bezittingen zijn verdwenen, hun schilderijen zijn over de wereld verspreid en het bloed van hun nazaten is dusdanig vermengd dat er zelden of nooit meer een spoor opduikt van de zwarte voormoeder in de familielijn.

Maar wat de tijd niet teniet kon doen, is hun indrukwekkende verhaal.

Karen Bennett was nog maar een klein meisje in Californië toen haar grootmoeder Lucille, die naar verluidt liever stierf van de honger dan een van de erfstukken van de familie te verkopen, haar het verhaal vertelde over de Nederlandse voorvader die naar Amerika was gekomen om fortuin te maken en verliefd werd op een slavenmeisje.

Felix-Jan Kuypers was een jochie van elf in Utrecht toen zijn moeder hem een brief liet zien over het familiegraf en hem de geschiedenis vertelde van de mensen van wie hij afstamde.

Op beide nazaten maakte het verhaal zo veel indruk dat ze later zelf naar gegevens gingen zoeken en de familiegeschiedenis doorgaven. Hun beider inspanningen hielden het verhaal van Leon en Juliette levend.

En dan is er nog het familiegraf. Daar gebeurde in de loop der tijd iets merkwaardigs mee. Als gevolg van het afgraven van de duinen bij Monster veranderde de kelder ergens in de jaren dertig in een vijf meter boven het maaiveld uitstekende grafheuvel, omringd door kassen. Kinderen speelden op de met gras overgroeide verhoging in het landschap, en tijdens de Tweede Wereldoorlog gebruikten Duitsers het graf als mitrailleurpost.

Later nam de gemeente Westland het graf over en zorgden lokale historici ervoor dat het werd gerestaureerd. In de jaren negentig verrees een nieuwe woonwijk op de plek waar eerder de kassen stonden. Maar tussen de grote appartementsgebouwen in staat het graf daar nog steeds, zij het nu met een hek eromheen. Eén keer per jaar, tijdens de Open Monumentendag, gaan het hek en de eikenhouten deur open en kunnen bezoekers een blik naar binnen werpen. Daarna wordt het weer stil en hoor je vooral het geluid van de zee achter de duinen en de meeuwen die er krijsend overheen vliegen.

In de grafheuvel liggen Leon en Juliette tot op de dag van vandaag. Zij aan zij in hun eikenhouten kisten, omringd door hun kinderen, familie en getrouwen – als een blijvend monument van een liefde die de wereld trotseerde en zich niet ondergronds liet houden.

Van de auteur

Ooit was ik directrice van een weeshuis. Een weeshuis voor verlaten verhalen, geboren uit de noodzaak om in ieder geval íéts te kunnen doen met al die mooie geschiedenissen die op mijn pad kwamen en waarvoor me de tijd ontbrak om ze allemaal recht te kunnen doen. Met mijn in een tijdschrift gepubliceerde 'weeshuis' had ik het gevoel ze toch nog een beetje te kunnen opvangen.

Een van die weesjes maakte toen al diepe indruk op me. Het was bij mij ondergebracht door Peter Bouwer, monumentenambtenaar van de gemeente Westland, die mij het door de werkgroep Oud-Monster gemaakte boekje *Geerbron en zijn bewoners* stuurde om me enthousiast te maken voor dit verhaal. Toen al zag ik er een boek in, maar het leek me te ver weg, zowel in tijd als in afstand, om tot een levensvatbaar project te kunnen uitgroeien.

Toen mijn pad naar Amerika werd geëffend door een van mijn andere boeken en ik de eervolle opdracht kreeg een Boekenweekgeschenk te schrijven, besloot ik het toch te proberen. Op 9 juli 2018, twee eeuwen na de eerste ontmoeting tussen Leon en Juliette in 1818, stond ik voor het eerst in hun grafkelder in Monster. Nooit was ik voor het onderzoek voor een boek fysiek zó dicht bij mijn hoofdpersonen begonnen. Ik legde witte rozen op de twee donkere eikenhouten kisten die me als de hunne waren aangewezen en plande mijn eerste researchreis naar de Verenigde Staten.

Al snel merkte ik dat ik het me inderdaad niet gemakkelijk had gemaakt. Na tweehonderd jaar bleek het uiterst moeizaam om nog sporen van mensen te vinden, zeker als hun levens zich, zoals in het geval van Leon en Juliette, noodgedwongen grotendeels in het verborgene afspeelden. Gelukkig vond ik zowel in Monster als in Charleston mensen die bereid waren me te helpen om iedere steen om te keren op jacht naar materiaal.

Te zijner tijd zal een uitgebreide versie van dit boek gepubliceerd worden. Voor nu zijn de illustraties (waaronder portretten, foto's en afbeeldingen van de huizen in Charleston en Monster), de vindplaatsen van de citaten (in deze uitgave aangepast aan de huidige spelling), de bronnenlijst, het dankwoord en een uitgebreide verantwoording van het historisch onderzoek dat aan dit verhaal ten grondslag ligt vanaf 7 maart 2020 te vinden in een virtueel fotoalbum op www.annejetvanderzijl.com.

*

Als me het afgelopen jaar werd gevraagd waarmee ik bezig was, antwoordde ik: 'Met een lief verhaal in wrede tijden.' Dat was op zich al genoeg reden om ervan te houden en te proberen het zo goed mogelijk te reconstrueren. Daarnaast vond ik het een relevant onderwerp, omdat het slavernijverleden onmogelijk kan worden los gezien van hoe onze wereld er nu uitziet. Een geschiedenis als deze kan allicht bijdragen aan meer kennis en begrip, en kan ons misschien ook aan het denken zetten over blinde vlekken die we nu als samenleving hebben. Zelf heb ik met verbazing gekeken naar de manier waarop een gemeenschap die zichzelf als beschaafd en humaan beschouwde, waarin boeken werden gelezen, naar het theater werd gegaan en de laatste mode werd gevolgd, er zó koppig voor kon kiezen een overduidelijke misstand in haar midden níét te willen zien.

Tegelijkertijd toont het levensverhaal van Leon en Juliette dat zelfs onder de moeilijkste omstandigheden er toch altijd weer individuen moedig genoeg zijn om hun eigen hart en geweten te volgen. Ook dat is relevant, want lezen we niet iedere dag in de krant over mensen die, net als zij, in feite iets heel gewoons willen – liefhebben, een bestaan opbouwen, een goede toekomst voor hun kinderen –, maar door economische of politieke omstandigheden vermalen dreigen te worden?

In die zin is *Leon & Juliette* voor mij een verhaal van alle tijden, niet het minst van de huidige.

In dat verband: ik ben me bewust van de discussies die momenteel gaande zijn over de vraag hoe, in welke bewoordingen en door wie het verhaal van de slavernij verteld mag en kan worden. Hoewel ik het een goede zaak vind dat deze discussies gevoerd worden, beschouw ik het niet als mijn taak als schrijver om daar stelling in te nemen. Mijn taak bestaat uit het reconstrueren van levensverhalen die ik boeiend vind en ze doorgeven in een vorm die mij het mooist en het passendst voorkomt.

Daarbij hecht ik eraan om te benadrukken dat noch de cpnb noch Uitgeverij Querido op enige manier verantwoordelijk is voor de keuzes die ik met betrekking tot dit Boekenweekgeschenk heb gemaakt – niet wat betreft het onderwerp, niet wat betreft de vorm en niet wat betreft de bewoordingen die ik heb gebruikt. Iedere verantwoordelijkheid voor *Leon & Juliette* ligt bij mij en bij mij alleen.

Annejet van der Zijl
Wimmenum, 15 november 2019

LEKKER LEZEN DOE JE IN DE TREIN

Gratis reizen

Ook dit jaar sluit hoofdsponsor NS de Boekenweek af in de trein. Op vertoon van dit Boekenweekgeschenk reist u op zondag 15 maart gratis met de trein. Bij controle in de trein toont u dit boek aan de conducteur.

Door de poortjes

Komt u tijdens uw reis op een station waar de poortjes gesloten zijn, dan kunt u deze openen met de vierkante barcode op de achterzijde van dit Boekenweekgeschenk. Hieronder leggen we uit hoe dat gaat.

1. Ga naar een poortje met het 'scan ticket'-symbool en het verlichte vlak op het poortje.

2. Houd de vierkante barcode tegen het verlichte vlak aan uw rechterzijde.

3. Het poortje opent. U kunt nu het station betreden of verlaten.

Meer informatie?
Gebruik de i-knop op de informatiezuil of ga naar een servicemedewerker

De belangrijkste reisvoorwaarden
- geldig voor 1 persoon 2e klas
- geldig op zondag 15 maart 2020 (v.a. 00.01 uur t/m maandag 16 maart 03.59 uur)
- overgang van 2e naar 1e klas niet mogelijk

Kijkt u voor de volledige reisvoorwaarden op **ns.nl/boekenweek**

San Francisco

CALIFORNIË

MIS

DE CONFEDE

TEXAS